人间失格·斜阳

[日]太宰治 著
王述坤 译

にんげんしっかく
しゃよう

译林出版社

图书在版编目（CIP）数据

人间失格；斜阳 /（日）太宰治著；王述坤译．—
南京：译林出版社，2023.3
（太宰治精选集）
ISBN 978-7-5447-9447-3

Ⅰ.①人… Ⅱ.①太… ②王… Ⅲ.①中篇小说－小
说集－日本－现代 Ⅳ.①I313.45

中国版本图书馆 CIP 数据核字（2022）第 183986 号

人间失格 · 斜阳 ［日本］太宰治 / 著 王述坤 / 译

责任编辑　王　玥　王　珏
特约编辑　赵琳倩
装帧设计　所以设计室
校　　对　戴小娥　王　敏
责任印制　董　虎

出版发行　译林出版社
地　　址　南京市湖南路 1 号 A 楼
邮　　箱　yilin@yilin.com
网　　址　www.yilin.com
市场热线　025-86633278
排　　版　南京展望文化发展有限公司
印　　刷　南京新世纪联盟印务有限公司
开　　本　787 毫米 ×1092 毫米 1/32
印　　张　8.5
插　　页　4
版　　次　2023 年 3 月第 1 版
印　　次　2023 年 3 月第 1 次印刷
书　　号　ISBN 978-7-5447-9447-3
定　　价　49.00 元

目录

人间失格

引子

我曾见过那男子的三张照片。

一张可谓其幼年时代吧，照片中的孩子十岁光景，被许多女人众星捧月般围在中间（可以想象那大约是他的姐姐、妹妹，还有表姐妹们吧），他穿着粗条纹和服裙裤站在庭院的池边，头向左歪了大约三十度，笑得很难看。你说难看，可感觉迟钝的人们（即不关心什么美丑的人们）却表情呆滞地吹捧道：

“好可爱的小哥呀！”

尽管说得轻飘飘的，但听起来倒也未必是廉价的恭维，因为那孩子的笑脸中，也并非没有类似俗话所说的“可爱”的影子。然而，倘是受过一点审美训练的人，只要看一眼，说不定就会立马不愉快地喃喃自语道：“多让人讨厌的孩子啊！”

继而将照片丢开，犹如抖掉手中的一条毛虫。

尽管说不出个所以然，但仔细看那孩子的笑脸，的的确确越看越让人恶心。因为那压根就不是笑脸，他一点也没笑。何以见得？他是双手紧紧握拳站立着，而人在紧紧握拳时是笑不出来的。简直就是猴子，猴子的笑脸。那只是在脸上挤出丑陋的皱纹而已。实在是怪异的照片，有着某种低级下流、令人作呕的龌龊感，甚至让人想喊他一声“皱巴哥儿”。我从没见过这种表情怪异的孩子。

第二张照片是学生打扮，面容之巨变令人惊诧。无从判断是高中还是大学时代的留影，但总之属于那种异常俊美标致的学生。然而，令人百思不解的是你不会感觉到那是个活人。他身穿校服，胸前衣袋口露出白手帕，跷起二郎腿坐在藤椅上，也是笑着。这次的笑脸并非皱巴猴子的笑脸，而是相当巧妙的微笑，却总感觉与人类的笑有所不同。完全没有方刚血气或曰大活人的那种充实感，不像一只鸟，而是轻如羽毛，只是一张白纸般笑着。就是说，给人的感觉整个就是一个“假”字。说他装腔作势也罢，轻浪浮薄也罢，女人相也罢，都不够准确，要说是油头粉面当然也不贴切。而且仔细一瞧，这个俊俏的学生还会给人以鬼怪故事中那种阴森恐怖的感觉。我从没见过这样怪异的标致青年。

第三张照片最怪。简直无从判断大致年龄。照片上的人头发似乎已有几分花白，待在肮脏透顶的房间（照片清晰地显示出房墙有三处坍塌）角落，这次没有笑。什么表情也没有。说来就像坐在那里，双手拢在小火盆上烤着烤着就咽了气似的，实在是一张散发着不祥气息的照片。奇怪之处不止于此，因为照片上脸孔较大，我得以仔细地观瞧那张脸孔的构造，那额头平庸、额上皱纹平庸、眉毛平庸、眼睛平庸，包括口、鼻、下巴也全都平庸无奇。啊！这脸孔不仅没有表情，甚至连印象都不能留下，毫无特征。譬如说我看了照片后闭上眼睛，这时已忘记那脸孔是个什么模样。固然能回忆起房间墙壁和小火盆之类，但对房间主人脸孔的印象却如过眼云烟，无论如何就是想不起来。那是一张入不了画的脸孔，也入不了漫画之类。而一睁眼，“啊，原来是这模样，想起来了！”——甚至丝毫不会有这种因想起来而引发的欣喜。说得极端些，就是睁开眼重新看一次那张照片，也还是想不起来；于是乎就只剩下不快和焦躁，随即不由得移开视线了事。

就是所谓“死相”，也总会有某种表情留下某种印象吧？或许把驽马的脑袋安在人的躯干上，就会产生如此效果？总之，说不清是哪里会让观者产生不寒而栗的厌恶情绪。这种怪异男子的脸我是从没见过。

第一篇手记

我的一生是充满羞耻地走过来的。

我参不透人类的生活。生于东北的乡下，我头一次看到火车是长到很大的时候了。我上了车站天桥再下来，竟全然没有发现这是为了跨越铁路而建的，只当那天桥是车站为了像外国的游乐场，以复杂为趣、显得高档时髦才建起来的。而且颇长时间一直那样以为。上上下下天桥对自己来说，反倒是一种相当洋气的游戏，在铁路部门的服务中也是最聪明的服务之一。但后来发现那不过是为旅客过铁路所造的很实惠的楼梯时，便旋即兴味索然。

还有，我孩童时代曾在画册上见过地铁，就一直以为这也并非出于实际的需要而设计，只想着那是一种好玩的游戏，因为乘地下车比起乘地上车别有一番情趣。

我从小体弱多病，经常卧床不起，躺在床上就深感床单、枕套、被套都是很无聊的装饰，到了近二十岁才明白，那些反倒是实惠的用品，从而对人类的节俭感到怅惘和悲哀。

我也不知什么叫挨饿。不，这不是说自己生在不愁衣食住的家庭，不是那种荒唐的意思，而是自己丝毫不了解挨饿的滋味。也许我的说法有点怪，我就是饿了也不能靠自己来发觉。小学、中学期间，我一放学回家，周围人就闹哄哄地说什么“瞧！饿了吧？我们也都记得放学回到家时饥肠辘辘的滋味可是要命呀！来点蜜豆怎么样？还有蛋糕、面包哟！”，所以，自己就发挥天生的拍马屁精神，嘟囔着“饿啦！”，将十来颗蜜豆扔进嘴里。然而，挨饿是什么滋味我还是没能明白。

我当然也很能吃，但印象中几乎没有哪次是因为饿才吃的。所谓珍奇的东西，吃；所谓奢侈的东西，吃。另外，在外边人家给拿出来的东西，多半也会硬撑着吃下。而对于儿童时代的我来说，最痛苦的时刻莫过于自家吃饭的时刻。

在我那乡下家里，全家十口人左右，各自的托盘分两列相对摆着。我这个老幺当然坐最末座，午饭时间十几口人在微暗的饭厅只是一声不响地吃饭，这种情景总是使我感到一股寒意。加之，是乡下那种传统之家，菜谱也多半是一成不变，珍奇、奢侈的食物休得指望，所以我对吃饭时间就更加恐惧了。我坐在微暗的餐厅末座，浑身发抖，一点点夹饭送到嘴边，填入口中。我总想：人为什么每天要吃三餐啊？这好像是一种仪式，每天三次，准时聚集在微暗的餐厅里，按照长幼次序摆上托盘，大家都一脸正经地在吃着。或许不想吃也要低头默默地咀嚼饭菜。有时我甚至想，这也许就是为了向蠢动于家中的灵魂们祈祷吧。

不吃饭就得死，这句话在我耳中只不过是讨厌的恫吓。不过，那种迷信（即使现在我也深感那是一种迷信）总是给自己带来不安和恐惧。人，不吃饭就得死，所以要干活挣钱吃饭——对我来说，没有比这更难懂、更晦涩，因而更具有胁迫效果的话了。

就是说，我对人类的行为活动尚近乎一窍不通。我的幸福观与世上其他所有人的幸福观迥然不同，由此带来的不安令我夜夜辗转反侧，呻吟悲鸣，甚至几近发狂。我果真幸福吗？从小我就每每被人们说成是“幸福的人”，但我的心情却如在地狱。在我看来，反倒是说我幸福的人们远比我安乐，非我所能比。

我有十大祸殃，我甚至想过，邻人哪怕仅背负其中一个，恐怕就足以致命。

就是说，我不明白，对邻人痛苦的性质和程度全然无从判断。实际生活的苦，只要能糊口便可迎刃而解的苦，这才是最厉害的苦，是凄惨的无间地狱。与此相比，说不定我那十大祸殃不值一提。这些我实在难求其解。不过要如此说来，人就能做得到不自杀、不发疯、高谈阔论这党那派，还不绝望、不委顿地继续生活战斗下去而不感到苦了；就可成为一个彻底的自私自利者，而且确信那是天经地义，从不怀疑。那样一来，就舒服了。然而，人这种东西说不定全是这样，又因而感觉有点不圆满……我不懂。夜里睡得很死，清晨起来是不是就很爽快？会做着什么梦？边走边思考什么呢？钱？怎么会，恐怕不仅那些吧。我似乎听说过人为了吃饭而活着，但是没听说过为了钱而活着。等一等，然而或许……不对，这个也不得而知……我越思考越糊涂，越发被唯独自己是个异类这种不安和恐惧所笼罩。自己和邻居几乎不说话，因为不知该说什么、怎么说。

于是，我想出一个办法：搞笑。

这是我对人类索求爱的最后的方式。似乎自己极度害怕人类，却又无论如何不能对人类死心。这样，我就用搞笑这根稻草维系住和人类的纽带。这是一种殊死的、冷汗淋漓的服务，表面上我不停地做出笑脸，而内心却希望渺茫、如履薄冰，成功率或许仅有千分之一。

甚至对自己的家人，我从小就完全摸不清他们是怎么个苦法，他们活着在思考什么，只是感到可怕，难以忍受那种不尴不尬，从而成了搞笑高手。就是说，我不知不觉中成了满嘴谎话的孩子了。

看看那时和家人的合影，别人都是一脸正经，唯独我必定诡异地扭曲着面孔在怪笑。这也是自己幼稚而可悲的搞笑之一种。

再者，亲人们说了我什么，我从没顶过嘴。哪怕是对我一句小小的责难，在我听来都如万钧雷霆，令我几乎方寸大乱，哪里还谈得上回嘴。我认定那小小的责难，必定是人类自古通今的“真理”，而我无力践行那真理，便认定也许自己早已不能和人类同居一檐下了。故而，我不能争论也不能自我辩护。被别人说了坏话，觉得确实言之有理，是我自己严重失误，总是默默地接受攻击，但内心则感到恐惧，几近发狂。

任何人惹人生气，受到责难，说不定都不会有好心情，但是，我却从生气者的脸上看到了比狮子、鳄鱼、恶龙更加可怕的动物本性。正像在草原安睡的牛，啪的一声突如其来地甩起尾巴将肚皮上的牛虻拍死一样；平素，似乎这种本性是隐藏起来的，而在某种时机，人，就会突然因愤怒而露出狰狞本相。看到那个样子我便浑身战栗，发根直竖，一想到这或许就是人赖以活下去的资格之一，内心便几近绝望。

总是为害怕人类而战栗，对自己作为人的言行无法有丝毫自信，就这样，将独自的苦恼藏进胸中的小盒子里，将忧郁和神经质藏了又藏，而专门装出一副天真乐观的模样。我作为搞笑的怪人，就这样“日臻完美”了。

什么都行，只要让他们发笑就好，这样，即使置身于他们的所谓“生活”之外，是不是人们也不太能察觉？总之，不要碍他们的眼，我是无，是风，是天空——净是这种想法越演越烈，自己靠搞笑来逗家人发笑，甚至对比家人更加不可理喻而又可怕的男仆女仆，也竭尽全力地奉献这种服务。

夏天，我在浴衣里面穿着红毛衣在走廊晃来晃去，引起了家人发笑，就连平素很少笑的大哥见到也忍俊不禁：

“瞧呀！小叶，乱穿衣啦！”一副异常疼爱的口吻。

真是的！再怎么样，我也不是不知寒暑的怪人，会怪到大夏天穿着毛衣走路。我是把姐姐的护腿套在胳膊上让它从浴衣袖口露出，用这个办法来假装穿着毛衣。

父亲在东京要办的事情很多，他在上野的樱木町有座别墅，每月有大半时间在别墅生活。回家时给家人和亲戚买回大量礼物，说来似乎是父亲的癖好。

有一次，父亲在去东京前夜把孩子们都叫来客厅，笑着询问这次回来每人要个什么礼物，并将孩子们的要求一一记在小本子上。父亲对子女如此亲切实属罕见。

“叶藏要什么呀？”

被父亲一问，我反倒语塞了。

被问到需要什么的瞬间，我就什么也不想要了。脑中闪出的想法是：反正不可能有让我快乐的玩意儿，随便什么都一样。而同时，不管人家给的东西多么不合口味，也无法谢绝。讨厌的事不能说讨厌，高兴的事也要小偷似的提心吊胆、极其苦涩地独自玩味，这样就只有在难以名状的恐惧中煎熬。就是说，我连二者选一的能力都没有。想来，这似乎就是我成年后越发造成自己所说的“充满羞耻”的一生的重大恶习之一了。

因我默默无言忸怩羞涩，父亲的脸上便有了愠怒之色：

“还是书吗？浅草商店街有卖新年舞的狮子面具，大小正适合孩子戴在脸上玩，你不要吗？”

既然被问“你不要吗？”，那就完蛋了，我做不出任何搞笑的回答，笑星彻底掉链子了。

“书，可以吧！”大哥一本正经地说。

“原来这样。”

父亲一脸扫兴，连记也不记，啪的一声合上了小本子。

多么失败！我惹恼了父亲，父亲的报复肯定很可怕。想着是不是能趁早补救一下，就在当天夜里，我在被窝里一边发抖一边打主意，然后悄悄起床来到客厅，打开父亲放本子的那个抽斗取出小本子，哗哗翻页，找到写礼物的地方，用嘴舔舔小本子附带的铅笔，写上了“狮子舞”几个字，然后回去睡了。其实我根本不需要那个狮子舞的狮子面具，反倒是想要书。但我发现父亲想给我买那个狮子面具，便迎合父亲的意思想让父亲转怒为喜。只为这我才铤而走险深夜潜入客厅。

就这样，这一非常手段果然以莫大的成功给了我回报。不久，父亲从东京回来了，我在小孩房间听到了父亲对母亲大声说话：

“在商店街的玩具店打开小本子一看，嗬！这处写着‘狮子舞’，不是我的笔迹。咦？我歪着头想了一下想起来了，这是叶藏的鬼把戏呀！在我问的时候，那小子光傻笑不说话，过后却忍不住想要狮子面具哪。总之，实在是个好怪的秃小子啊！先是装聋作哑，回头写得明明白白。既然那么想要，当初说不就得了？真是的！闹得我在玩具店店头都笑开啦！快把叶藏叫到这儿来！”

而我那头呢，正把男仆女仆们集中在西式房间里，让一个男仆乱敲钢琴琴键呢。（虽然我家在乡下，但家里一般物品一应俱全。）我随着那乱七八糟的曲调给大家跳印第安舞，弄得大家哄堂大笑。二哥点燃闪光器为我拍印第安舞“剧照”，等照片印出来一看，自己的围腰布（那本来是一块洋花布包袱皮）合缝处露出了小鸡鸡，又一次引得全家哄堂大笑。对我来说，这也许可谓又一次的意外成功。

我每月订阅十种以上少儿杂志，此外东京方面寄来的各种书籍，我也是默默地阅读，像什么“杂学博士”[1]啦，还有“那什么博士”[2]啦，我都极为熟悉。另外，什么鬼怪故事、评书、落语[3]、江户小笑话之类，我也相当内行，一本正经地讲滑稽故事逗家人发笑，这些东西都是不可或缺的。

然而，学校！唉，那真是马尾穿豆腐——提不起来。

在那里，我本来还是受到尊敬的，但受尊敬这一概念也使我相当惶恐。近乎百分之百地骗人，之后被某个全知全能的智

1　杂学博士：原文“めちゃらくちゃら”，是“めちゃくちゃ”的调侃说法；“めちゃらくちゃら博士”试译为“杂学博士”，二十世纪三十年代日本少年读物中的主人公，为“少年俱乐部滑稽大学”校长。——本书脚注如无说明均为译注

2　那什么博士：原文“なんじゃもんじゃ”，为“何とか言うもの”之意；“なんじゃもんじゃ博士”试译为“那什么（不直接说具体内容）博士”，同为二十世纪三十年代日本少年读物中的主人公，系上述“少年俱乐部滑稽大学”教授。

3　落语：一种日本民间曲艺形式，类似单口相声。

者识破，被揭露得体无完肤，丢死人了——这，就是我“受尊敬”状态的定义。欺骗别人而“受尊敬”，又被某人识破，然后他告诉别人，人们都发觉受骗上当时，其愤怒和报复究竟会是怎样的呢？哪怕是想象一下，我都会毛骨悚然。

我生在有钱人家，与此相比，俗话所说的“学习好”似乎更使我受尊敬。我孩童时代体弱多病，经常一两个月甚至一学年躺卧在床而旷课，尽管如此，大病初愈的我坐着人力车去学校参加学年考试，成绩似乎比谁都“好”。身体好的时候，我根本不用功，即使身在课堂也是画个漫画什么的，而到了休息时间，就把漫画讲给班上同学听，把他们逗笑。再有就是作文，我专门写滑稽的小笑话，即便受到老师警告，我也依然如故。因为我知道实际上老师私下还把读我的笑话当成个乐趣呢。

一次跟母亲进京途中，我做过在火车厢通道的痰盂里小便的糗事。（当时我并非不知那是痰盂，而是为了显示孩子的天真，故意那样做的。）一天，我照例将此事用格外悲壮的笔触写进作文后上交，因确信老师看到会发笑，便跟在要回教员室的老师后面。结果老师一出教室，便将我的作文从同学们的众多作文中挑出，在走廊上边走边开始读，并偷偷笑着。不一会进了教员室，大约是读完了吧，他满脸通红放声大笑，还忙不迭地让其他老师读。看到这一幕，我得意极了。

天真滑稽。

在被人看成天真滑稽这一点上我获得了成功，成功地摆脱了被人敬而远之的状态。家长联系簿上，所有学科都是10分，唯独品德要么7分，要么6分，这也成了家中的笑料。

但是，我的本性却和那种天真滑稽的淘气包截然相反。那时节，我已被玷污，在男仆女仆的教唆下干了可悲的丑事。现在我认为，对幼小者做那种事是人类能够实施的犯罪中最为丑恶最为低劣最为残酷的，然而，我却忍受了。由此我甚至觉得看到了人类本性的又一侧面，继而报以懦弱的笑。假如我有不说假话的习惯，那么，说不定会大胆地将他们的罪行告诉父母，但我对自己的父母也没能完全理解。我对“向人控诉”这一手段毫不期待。即便告诉了父母，告诉了警察，告诉了政府，也许其结果不过是成为老于世故的强势群体大肆批驳我的把柄。

我极其明白世间本无公平，向别人控诉总归是没用的。说到底自己除了对真相绝口不提、默默忍耐、如此这般地继续搞笑之外，别无他法。

或许有人要嘲笑我说：什么呀！你难道主张不信任他人？你小子什么时候成了基督徒了？然而，我觉得对人不信任未必就直接通往宗教之路。包括现在嘲笑我的那些人在内，人，难道不都是生活在互不信任中，脑中毫无什么上帝的念头，满不在乎地活着吗？还是我儿时的事，父亲所在政党一位名人来本市演讲，我被男仆带到剧场去听。大厅爆满，当地和父亲交好的人悉数到场，他们掌声雷动。演讲结束后，听众三五成群地走着积雪的夜路回家，路上他们把今夜的演讲贬得一钱不值。其中也夹杂着和父亲特好的人的声音。父亲那些所谓的“同志”以近乎愤怒的语调说着父亲致的开会辞如何拙劣，那位名人的演讲如何言之无物、完全不知所云等，不一而足。然后他们又到了我家客厅，面带一种发自内心的喜悦表情对父亲说：“今夜的演讲会大获成功！”母亲问男仆：“今夜的演讲会怎么样啊？”就连男仆也若无其事地回答：“相当有意思了！”本来归途中他们还互相叹息说什么：“再没有比演讲会更没意思的了！”

但是，这只不过是一个小小的例子。在我想来奇怪的是，人们相互欺骗，而且双方谁也不受伤害，甚至都没有发现在欺骗彼此。那欺骗可真叫清爽、明快、开朗，如此漂亮的例子在人们生活中比比皆是。然而，我对相互欺骗这件事并没有多大兴趣，因为，即便是我也是一天到晚靠搞笑来欺骗别人的。我对修身教科书式的什么正义道德之类不怎么关心。对相互欺骗却清爽、明快、开朗地活着的人，对有自信那样活的人，我很难理解。人类终于没有教给我那种妙谛。只要领悟了那种妙谛，我就不至于如此害怕人类，无须进行这种卖命的服务了吧？也就不至于与人类生活对立，每夜都饱尝地狱般的痛苦了吧？就是说，我认为我之所以连男仆女仆的可恨罪行都没有向任何人告发控诉，并非是出于对人的不信任，也不是基于基督教义，而是因为人类，对名叫叶藏的我牢固地闭起了信任的壳。因为即便是父母，有时也会让我看到百思不解的情形。

而且，我也感到，我这种不向任何人控诉的孤独气味为很多女性靠本能嗅到，这就成了晚些年我被频频利用屡屡上钩的原因之一。

就是说，对于女性来说，我是个能够保守住恋情秘密的男人。

第二篇手记

在可称为海滩的海岸边，耸立着二十多棵树皮漆黑的高大山樱树。新学期伊始，以蔚蓝色大海为背景，山樱树的褐色嫩叶和烂漫的樱花相映成趣。不久即到了落英缤纷似飞雪的时节，成千上万的花瓣散入大海装点着海面，乘浪漂浮，又被冲回岸边。这长着樱树的沙滩原封不动成了东北某中学的校园，而我没好好准备入学考试，却好歹顺利地进了这所中学。如是，该中学的制式帽子的帽章和校服纽扣上，都有绽放的樱花图案。

在与该校咫尺之隔的地方，住着我家一个远亲，因此理由，父亲为我选择了这所近海、有樱花的中学，并把我寄放在那个家庭。反正离学校极近，我是个懒得可以的中学生，都是听到朝会钟声后现跑去上学。尽管如此，我的人气还是靠那种搞笑与日俱增。

说起来这是我有生以来首次到异乡，不过在我想来，异乡是个反比故乡更轻松的场所。这或许可以解释为由于那时我对搞笑已越来越驾轻就熟，骗人已不像以前那样吃力了吧。然而，恐怕更多是因为生人面前好办事。骨肉亲人与外人、故乡与异乡、其表演的难易程度间不可忽视的差距，对任何天才来说，哪怕是对神之子耶稣来说也是存在的。而对演员来说，最难演的舞台是故乡的剧场，要是近亲远亲七大姑八大姨一个不落地坐在一个房间里，再有名的演员恐怕也谈不上什么演技不演技了。不过，自己总算对付下来了，而且还获得了不小的成功。如此"老江湖"到了异乡当然也就不会出现千虑一失演砸锅的情况。

我对人的恐惧，虽然在胸中猛烈地涌动，与从前相比有过之而无不及，但要说演技，实在是大有长进。在教室里，总是逗班里同学发笑；老师虽嘴上叹息"本班只要没有大庭同学就是个很不错的班级了，可惜……"，不过，也是边叹息边捂着嘴笑呢。甚至大声咆哮犹如雷霆的驻校军官[1]，我也能轻易让他忍不住笑起来。

估计我的原形已能完全隐蔽了吧？正要松口气，自己却意外地被人捅了后背。就跟在背后暗算人的家伙没有两样，那是个近乎白痴一般的学生。他在全班身体最瘦弱，脸色青肿，穿

1　驻校军官：小说主人公的中学时代，大约是二十世纪二三十年代，正是日本国内军国化严重时期，为向学生灌输军国主义思想，学校都派有驻校军官负责对学生军训并监视学生思想动态。

一件袖子老长的上衣，就像圣德太子[1]的衣袖一样，使人联想到那可能是其父兄穿剩下的衣服。他一点功课都不会，军训和体育课总是袖手旁观，我自己也曾以为没必要对该生保持戒心。

那天上体育课，该生（姓什么已记不起来，名字好像叫竹一）即那个竹一，照例在旁边观看，我们则被命令练单杠。我故意尽量做出严肃的表情，大喝一声朝单杠跑去，但临近却像跳远一样一下子向前飞身一跃，咚的一声在沙地上摔了个屁股蹲儿。一切，都是计划中的失败。果然，众人大笑起来，我自己也边苦笑边站起身来拍打裤子上的沙土。竹一不知何时来到现场，他捅捅我的后背，低声耳语道：

“故意的！故意的！”

我被震撼了。我完全没料到故意失败这件事居然被竹一识破。我就像看到世界一瞬间被地狱的业火包围熊熊燃烧一样，“哇”地大叫一声，竭力压抑着即将发狂的神经。

其后的每一天，我都被不安和恐惧所笼罩。

我表面上依然在逗弄大家发笑，但不禁发出沉重的叹息。无论干什么都会被竹一彻底看破，那小子不久一定会不问对象地到处散布——每思及此，我额头上就冷汗淋漓，用疯子似的眼神徒劳地环视一下周围。如果可能，我真想早、午、晚，一天二十四小时寸步不离地监视竹一，以防他信口开河说出秘

1　圣德太子（574—622）：最早的女天皇推古天皇的皇太子，据传曾摄政，制定“冠位十二阶”《十七条宪法》，并向隋朝派遣隋使，是日本历史上的著名人物。

密。就这样，在我缠住他这段时间里，我竭尽全力让他深信我的搞笑并非故意作假而是真的。如有机缘，我还想和他成为最铁的哥们儿。我早已钻进牛角尖，心想若那些都办不到，就只能祈祷他一命呜呼。

不过，我仍然没有杀死他的念头。在过去的生涯中，我倒是好多次涌起被人杀死的愿望，但从没想过杀人。因为我觉得杀了可怕的对手，反倒是给了他幸福。

为了使竹一就范，我首先装出满脸假基督徒般“优雅”的献媚笑容，把头向左倾斜三十度，轻轻地搂住他的小小肩头，就这样拿出甜言蜜语的声调，多次邀请他到我寄宿的家里来玩。但他总是眼神呆滞沉默不语。不过，一天放学后，那是初夏时节，傍晚瓢泼般的雷阵雨下得白茫茫一片，同学们为如何回家犯了难。而我因为家近在咫尺，正要满不在乎地往外飞奔时，突然发现竹一无精打采地站在木屐箱后面，便说："走啊！我借给你雨伞。”竹一还有点畏葸，我便拉着他的手一起冒雨奔跑起来，到家后，拜托阿姨替我俩烘烤上衣，然后成功地将竹一诱入了我的房间。

那个家庭有三名成员，年过五旬的阿姨和她的两个女儿——大女儿高个子，三十多岁，戴眼镜，好像有病似的。（这个女儿是一度嫁到外地，然后又回到娘家的。我也跟着这个家里的人称呼她为“姐姐”。）小女儿矮个子，名叫小节，圆脸，长得不像姐姐，好像最近刚从女校毕业。楼下店铺里摆了一些文具和运动器材之类，主要收入是靠过世的男主人留下的五六排大杂院的房屋的房租。

“耳朵疼。”竹一站在屋内说道。

“淋了雨就疼了呀！”

我一看，他双耳里满是脓水。那些脓水马上就要流出来。

“这可不得了，疼吧？”我夸张地现出吃惊的表情，“冒雨还硬把你拖来，对不起啊！”我搬出女性用词来“温柔”地表示歉意，然后到楼下要来脱脂棉和酒精，让竹一躺下把头枕在我膝上，细心地为他清洁耳内。就连竹一也没能发觉这是我伪善的奸计。

“你小子肯定要招女人迷恋呀！”

他枕着我膝盖，说着浅薄的奉承话。

然而，我多年以后才认识到，这句话原来是个可怕的魔鬼预言，恐怕当时竹一也没意识到。迷恋女人也罢，招女人迷恋也罢，这词语的表现极为下流，充满嘲弄，而且委实带有一种沾沾自喜的味道，无论多么“严肃”的场合，只要这种话冒出一句，就会让人感到忧郁的圣殿霎时崩塌为废墟。但如果不用“招女人迷恋的辛苦”这种庸俗的话语，而使用“被爱的惶恐”这种文学语言，似乎就未必造成忧郁圣殿的崩塌，也真是奇妙。

竹一让我给他处理耳中脓水，嘴里说着“你小子肯定要招女人迷恋”这类奉承话，那时我只是红着脸笑笑，什么也没有说。不过，实际倒也有几分对号入座。然而，对“招女人迷恋”这句粗俗的话引起的得意氛围，我之所以写经他一说“倒也有几分对号入座”，是故意拙劣地抒怀，拙劣到甚至还不如落语里大少爷[1]的台词，而本人是绝不会让自己以那种戏谑的得意心情来“对号入座”的。

对我来说，人类中的女人要比男人难懂几倍。我的家人是女性居多，亲戚家也是女孩居多，加上那个“犯罪”的女佣，我觉得说自己从小就在红粉堆中长大也不算言过其实，不过我一向是怀着如履薄冰的心情和那些女人打交道的，全然搞不懂她们，如堕五里雾中，有时惨遭失败如踩虎尾而身心俱损，而那种伤痛又有别于来自男性的鞭笞，是一种内出血般不愉快的猛烈攻心，难以治愈。

女人把你拉过去，又甩开你；在有人的地方蔑视你，冷酷无情；没人的地方她又抱紧你。女人睡眠很深，就像睡死了一样。是不是女人就是为了睡觉而活着的？我从小就对女人进行了种种观察，尽管似乎同属人类，但感到她们是一种与男人迥然不同的生物，而这种不可理喻又大意不得的生物却又奇妙地来照顾我。“招女人迷恋”或“被喜欢”这话，与我的情况完

---

1 大少爷：这里大约指古典落语『湯屋番（ゆやばん）』（公共浴池收费台值班员）中“道楽者の若旦那（花花公子）”里的主人公。说的是一个有钱人家少爷，因沉迷寻花问柳被家里人逐出到一个木匠家寄食，因好吃懒做和人家老板娘吵架，名声极坏。被介绍到公共浴池打工，结果好色的他试图窥视女人洗澡，遗憾的是男浴室顾客众多，女浴室空无一人。失望的他竟然想象和某女人如何如何，其言行可笑至极。

全不符，说不定还是说成我“被照顾”更贴近实情。

对欣赏搞笑，女人似乎比男人更放得开。男人对我的搞笑，的确并不自始至终捧腹大笑，而且，我也知道对男人得意忘形地演过了头会造成失败，所以，也有要适可而止的心理准备。而女人，则不知道什么叫作适度，总是一而再，再而三地要求我搞笑。我呢，就被这种无限度的“再来一个”弄得疲惫不堪。实际上，她们真够能笑的。好像一般女人比男人更贪图快乐。

我中学时代寄宿那家的大女儿和小女儿只要有空闲，都爱到二楼我的房间，每当那时，我都会吃惊得几乎要跳起来，并且只顾战战兢兢了。

“您在用功呀？”

“哪里。”我微笑着合上书本，“今天啊，在学校啊，一个叫‘棍棒’的地理老师……”我口中流利地说出的，是言不由衷的滑稽事。

“小叶，请你戴一戴眼镜！”

一个晚上，小女儿节子和姐姐一起到我的房间来玩，在让我表演把我折腾个够以后，提出那种要求。

“为什么？”

“别问了，戴戴看！借姐姐的眼镜！”

她一向是这种粗暴的命令口吻。笑星也就乖乖地戴上了姐姐的眼镜。就在那一瞬间，两个姑娘笑倒在地。

“一模一样！和劳埃德一模一样！”

当时，有个叫哈罗德·劳埃德[1]的外国喜剧电影演员在日本很有人气。

我站起来举起一只手，说了一句：

“诸位！

“本次对日本的诸位影迷……”

我尝试着来了个致辞，越发引起大笑。其后每逢劳埃德的影片来这个城市上映，我就去看，偷偷研究他的表情。

又一次是一个秋夜，我正躺在床上看书，姐姐像鸟一样飞进了我的房间，一头倒在我的被窝上哭起来：

“小叶，你会帮我的吧？对，这样的家，还是一块出走的好啊！帮帮我！帮帮我！”

她多次说出冲动的话，而且还会哭。可我并非头一次见到女人在我面前这副模样，所以，对姐姐的过激言论并没怎么吃惊，反而对其陈腐和言之无物的话语感到很扫兴。我轻轻地爬出被窝来削茶几上的柿子，并递给姐姐一块。这时，姐姐唏嘘着吃了那柿子又对我说：

“有什么有趣的书吗？借给我。”

我从书架上给她挑出夏目漱石的《我是猫》。

---

1 哈罗德·劳埃德（Harold Clayton Lloyd，1893—1971）：美国喜剧演员，二十世纪三十年代无声电影时代的大明星。标志性形象是头戴硬壳平顶帽，鼻梁上架大大的圆框眼镜。著名作品有《安全至上》等。在日本，称圆框眼镜为“劳埃德眼镜”即源于此。

“承您款待啦！”

姐姐不好意思地笑着走出房间。我不由想道：也不仅限于姐姐，这些女人究竟是以什么样的心情活着呢？这简直比探究蚯蚓的思想更麻烦，更令人厌烦和恐惧。我依照小时候的经验，只记得有女人在我面前突然哭起来时，就递给她个什么甜食，女人便会吃起来，情绪即告好转。

又一次，小姑娘节子甚至把她的朋友也带到我的房间，我呢，逗她俩发笑则是一碗水端平。朋友走后，节子必定要说朋友的坏话，必定要说：“她是个不良少女，你要当心哦！”既然那样，当初别特意带过来不就得啦！不过，托她的“福”，我房间的来客几乎清一色女性了。

然而，以上情况还不算印证了竹一所恭维的“招女人迷恋”。就是说，我不过是个日本东北的哈罗德·劳埃德而已。竹一拙劣的奉承作为不祥的预言活生生兑现，并展现出不祥的症候，那是好几年以后的事了。

竹一又给了我一个重大礼品。

“这可是妖怪画呀！”

竹一来二楼我的房间玩时，得意地将他带来的一张原色版封面画拿给我看，并做了以上说明。

我脑中“呀嗬？”一声，那个瞬间决定了我的人生道路，若干年后我才异常强烈地反思到这一点。对那画我并不陌生，知道那不过就是凡·高那幅有名的自画像而已。我的少年时代，日本曾非常流行法国的所谓印象派画，学习西画的第一步大抵要从那些画开始。对凡·高、高更、塞尚、雷诺阿等人的作品，即便乡下的中学生也大多见过印刷品而有所了解。我也见过很多凡·高的原色作品，对其画风的意趣、色调的鲜艳曾很感兴趣，但从来没有想过那是妖怪画。

“那么，这种画怎么样？也是妖怪？”

我从书架上拿出了莫迪利亚尼的画集，把那幅皮肤像被太阳晒成了紫铜的《裸女画》拿给竹一看。

“棒极啦！”竹一瞪大了眼睛感叹道，“好像地狱里的马似的。”

“也是妖怪喽？”

“我也想画这种妖怪画呀！”

过于害怕人类的人反而有一种心理，要确切亲睹更加可怕的妖怪；越是神经质、懦弱的人，越有祈盼暴风雨来得更猛烈的心理。啊！这群画家受到人这种妖怪的伤害、威吓，到头来就终于相信幻影，在光天化日之下真真切切地看到了妖怪。而且，他们不用噱头来蒙骗，致力于看到什么表现什么，正如竹一所说，毅然决然地画起了“妖怪画”。我激动得热泪盈眶，觉得这里有着自己未来的同类和知音。

“我也要画！画妖怪画！画地狱里的马呀！”

说不上为什么，我悄声地对竹一这样说道。

我从小就喜欢看画、画画，不过我画的画并没有像作文那样受到人们好评。我根本就不相信人们所说的，对我来说，作文之类无非是一种搞噱头的寒暄，虽然那些作文从小学到初中、高中一直令老师们格外开心，但在我自己看来毫无意思；唯独绘画（漫画之类倒是另当别论），虽是小孩子自成一统的幼稚风格，但为了表现对象物，我还是煞费了一番苦心的。学校图画课的样本没什么意思，老师的画技又十分拙劣，所以，我要完全靠摸瞎尝试各种表现技法。上中学后，我已备有全套油画器材，但即使想从印象派画风中寻求技法样本，我的画也还是像彩色印花纸工艺品般平庸无奇，根本拿不上台面。不过，经竹一的点拨，我发现我以往绘画的指导思想全然错误。努力试图将感觉美的东西一如原样地加以表现，那是天真和愚蠢。巨匠们是将平淡无奇的东西靠主观来创造美，抑或是对丑的东西虽感到作呕却不失对其的兴致而沉浸在表现的喜悦之中。就是说，竹一给了我秘笈，那就是根本不顾虑别人看法的原始技法，于是我便背着那些来访的女客，着手一点点炮制自己的自画像。

我画出了阴惨到连自己都吓一跳的画，但这正是我一再隐蔽在心底的本来面目。表面上明快地笑着或逗人发笑，而实际上我是怀着如此阴郁的心，这是没办法的事，我暗自给自己打气，不过该画到底也没敢向竹一以外的任何人出示，因为不愿意人们识破我搞笑背后的阴惨而对我产生狭隘的戒心。但我又担心人们识不破我的本貌而将其看成是有新意的搞笑，那样一来，也许会成为大大的笑柄，让我更加难受，所以这张画马上就被我塞到壁橱深处去了。

在学校的图画课上，我则收起这种“妖怪技法”，用先前那种平庸技法一如既往地将美的事物尽量画得更美。

我只是对竹一毫无顾忌地展示自己容易被伤害的神经，而这次的自画像也放心大胆地拿给竹一看，受到他大大的表扬，进而我又一鼓作气连画两三幅妖怪画，从而获得竹一又一预言：

“你小子将会成为伟大的画家！”

“招女人迷恋”和“成为伟大的画家”，傻小子竹一把这两个预言刻在我的额头。不久，我来到了东京。

我本想进美术学校，但父亲老早就打算把我送进高中最终要培养成官员，并对我明确交代过。故而生性不敢顶嘴的我就稀里糊涂地顺从了。父亲让我念完四年级后报考，我呢，对有大海和樱花的初中学校也相当腻烦了，便没有就地升五年级，而是以“四修”[1]资格考取了东京的高中，旋即开始了集体宿舍的生活。然而，因为受不了那里的肮脏和粗暴，根本谈不上什么搞笑了，便请医生给开了张肺浸润的诊断书，搬出宿舍来到父亲在上野樱木町的别墅。我无论如何过不了集体生活。加

1 四修：昭和初期的学制为小学六年、初中五年、高中三年即可投考国立大学。但有一种制度规定，小学可在五年内修完即投考初中，称“五年修了”（简称“五修”）；初中可以在四年内修了即投考高中，简称“四修”。

之，什么青春的激情，什么青年的豪气，这些话我听了感到不寒而栗，跟不上那个什么“高中精神”。我甚至感到教室和宿舍都好像那种变态性欲的垃圾堆，自己近乎完美的搞笑，在那里派不上任何用场。

父亲不参加议会的时候，每月仅在这个家待一两周，所以，父亲不在时，那个相当宽敞的家里就只有我和看管别墅的老夫妇三人。我经常旷课，尽管这样，倒也没有产生过观光东京的念头（好像到头来我也没有去看明治神宫、楠木正成[1]铜像和泉岳寺四十七浪士[2]之墓），整天宅在家里，要么读书要么画画。父亲一来京，每早我便急匆匆地上学去，但有时也去住在本乡千驮木町的洋画家安田新太郎的画塾，进行三四个小时的素描练习。也许是出于自己的乖僻，我脱离高中的集体宿舍，即便是在课堂也好像坐在旁听生座位上，感到实在没劲，因此就更加懒得去上学了。我在整个小学、初中、高中期间，到最后也没能理解什么叫爱校心，至于所谓校歌更是从来都没打算学过。

---

1 楠木正成（1294—1336）：日本南北朝时代武将，1331年应后醍醐天皇之命起兵，在千早城与镰仓幕府“执权”北条氏大军交战取胜，获南朝河内（大阪）国司与守护官位。后与足利尊氏大军激战于凑川，终因寡不敌众而与其弟互刺而死。一些有皇室情结的日本人将其看作忠于皇室的象征，称之为“大楠公”。

2 四十七浪士：史称“赤穗四十七浪士”。1701年3月11日，负责接待来自京都的钦差的地方诸侯播磨赤穗藩主浅野长矩（1667—1701），向幕府司掌诸般仪典的官员吉良义央（1641—1703）请教接待礼仪，受到吉良的嘲弄，浅野激愤之下怒伤吉良，被幕府问成“大不敬罪”，当天即被严命剖腹自杀，封地易主、家名废绝、家臣遣散。遭遣散后，家臣之长大石良雄（1659—1703）潜入民间率领四十六名原家臣伺机杀死吉良，然后集体投案，被勒令全部剖腹自杀。日本人一般将其视为忠于主人的楷模。该事件又称“忠臣藏事件”。

不久，在画塾里，一个学画的学生让我领略了酒、香烟、妓女、当铺和左翼思想。虽然几项搭配在一起有点不伦不类，但事实如此。

该学生名叫堀木正雄，生于东京老街，是个长我六岁的学兄，据说毕业于私立美术学校，因家里没有画室，便每天上画塾继续西画学习。

“能不能借我五元钱？”

只不过互相脸熟，那之前还从没有交谈过。但我急忙拿给他五日元。

“好！去喝酒吧！我请客！你是个小帅哥嘛！”

我无法拒绝，被他拉去蓬莱町的咖啡店，这便是和他交友的开端。

“我注意你很久了，看看！你那似带羞涩的微笑，那就是前途无量的艺术家特有的表情啊！为我俩的相识，干杯！小绢，这小子是个美男子吧？你迷上他可不行呀！就因为这小子进了画塾，很遗憾，害得我沦为美男子二把手啦！”

堀木脸色浅黑，五官端正，身穿学画学生罕见的笔挺西装，领带的款式花色也属于朴素型的，头发从中间分开，抹了发蜡紧贴在头皮上。

我不习惯这种地方，所以感到紧张，只是将两臂一会儿抱起，一会儿分开的，露出那种“似带羞涩的微笑”。不过喝了两三杯啤酒的过程中，竟然神奇地感到一种得解放的轻快感。

“我呢，本来是要进美术学校的，但……”

“别，没意思！那种地方没意思！学校没意思。我们要师造化，感受对大自然稍纵即逝的情感……”

然而我对他的话却毫无敬意，觉得他是个混混，他的画也肯定很烂，不过，也许是个不错的玩伴。就是说，我有生以来第一次见识了都市无赖。他和我虽然形象不同，但在完全游离于世人的生活并处于困惑状态这一点上，我们又确乎属于同类。只是他是无意识地搞笑，而且全然没有发现搞笑的凄惨，在这一点上和我又有本质的差别。

我心想，只是玩玩，仅仅是作为玩伴来交往。我经常轻蔑他，甚至时而因和他交往而感到羞耻；然而，同他一起行动的结果是，我甚至成了这个人的手下败将。

不过，开头我一门心思地认定这男子是个好人，罕见的大好人，一向害怕人类的我也完全疏忽了，甚至认为得到一位热心的游览东京的向导。其实，我有这样的隐衷——独自乘电车时害怕乘务员；想进歌舞伎剧场看戏时，却害怕正门楼梯两侧站着的引导小姐，而那楼梯上还铺着猩红色的地毯；进入餐馆用餐时，则害怕站在背后等着你吃光后收回盘子的男服务生；尤其是买单时，哎呀！我那手忙脚乱的笨拙劲儿就甭提了。买了东西付款时，倒也不是舍不得钱，反而是由于过度的紧张、害羞、不安、恐惧而搞得头昏眼花，世界变得漆黑一片；人几乎要半疯，还谈什么砍价，不仅找回的零钱忘了拿，而且就连买的东西都忘了带走的情形也屡有发生。就这样，我不敢独自在东京大街上行走，无奈之下，只好整天窝在家中。

于是，我就把钱包交给堀木跟他一同逛街。堀木很会大幅度地砍价，而且或许因为他是玩乐高手吧，发挥出巧买单的本事，能把一点小钱花出最大效果；同时，他对昂贵的出租车敬而远之，电车、公车、小汽艇，到哪儿坐什么门儿清，显露出能在最短时间抵达目的地的手腕；早晨嫖妓归来，中途要到某某料亭洗个“早浴”，然后就着豆腐火锅来个小酌，花很少的钱却能享受到超值的奢侈。以上这些都是他对我现身说法的点拨。另外，他还劝说我要吃摊车的牛肉盖浇饭、烤鸡肉，价廉而富有营养，并打包票说：“能最快进入醉态的酒，非‘电白兰’[1]莫属。”总之，他的买单方式从没有让我感到一丝一毫的不安和担心。

还有，同堀木交往也拯救了我。他完全无视听话一方的想法，而一任所谓“激情”四射（所谓“激情”，或许就是不管对方的立场），一天二十四小时一直喋喋不休地说着无聊的话题，两人走路完全不必担心疲倦或者陷入冷场的尴尬。以前，少言寡语的我为防止与人接触时露出那可怕的沉默，把那当成紧要关头而拼命搞笑，而现在呢，堀木无意识地主动担当了搞笑的角色，我连回答都插不上嘴，只需当作马耳东风，时而笑

1 电白兰：一种以白兰地为基酒勾兑白葡萄酒的日本鸡尾酒。由东京浅草的神谷酒吧创始人神谷传兵卫发明，至今已有一百二十余年历史。——编注

着说一句“怎么会?”就可以了。

不久，我也明白过来了：酒、香烟、妓女，哪怕是片刻也好，这些都是能排遣恐惧人类的情绪的特效手段。甚至产生了为追求这些手段，哪怕卖掉自己的一切也不后悔的想法。

在我看来，妓女这种东西既不是人，也不是女性，看似白痴或疯子，我躺在她们怀中反而十分放心，能睡得很踏实。她们实际上都没有丝毫欲望，到了可悲的程度。是否因为她们从我身上感到了一种同类的亲切，她们总是对我表示出一种好意，又不使人感觉拘束。这好意是一种不计任何得失的好意，是对或许一生中不再光顾者的好意，而没有强买强卖的意思。有些夜里，我千真万确地在那些白痴或疯子似的妓女身上，看到了圣母玛利亚的毫光。

然而，为了逃离对人的恐惧，追求卑微的一夜的安逸，我前往青楼，在和与自己正是“同类”的妓女们的缠绵之中，不知不觉总是感到某种无意识的，或说是不祥的氛围在身边游荡，这也是我始料不及的“附赠品”。该“附赠品”渐渐鲜明地浮出水面，被堀木点出来使我感到愕然和厌烦。在别人看来，通俗地说，我是在用妓女来修炼与女人打交道的技艺，而且，最近明显提高。据说修炼与女人打交道的技艺，用妓女最为严格，唯其如此，成效也甚高。我身上已散发出“风月老手”的味道，女性（不仅限于妓女）凭本能嗅到这气息并主动投怀送抱，就是这种下流而不体面的氛围成了给我的“附赠品”，这似乎比我获得的安逸之类更醒目。

堀木可能是半恭维的话，我也有几分沉重地对号入座，比如记得收到过咖啡馆女招待幼稚而拙劣的信；每天清晨我上学时分，樱木町别墅的邻居、将军家的二十岁女儿明明无事，却淡妆素抹地出出进进自家的门；去吃牛肉火锅，我沉默不语而那个女侍应却……还有，我经常去买香烟，而那烟店老板女儿递给我香烟时，烟盒中却是……还有，去看歌舞伎，邻座的人……还有，我酩酊大醉，在市内电车上睡着了却……还有，故乡亲戚家的女儿意外地寄来倾诉相思之苦无法自拔的信件……还有，陌生的姑娘在我外出时，在家里给我留下貌似亲手制作的偶人……因为我过于消极，这些故事只是个片段，仅此而已，没一桩进一步发展，但我身上某处散发着让女人做美梦的气味，那并非无聊的恋爱痴谈或漫不经心的玩笑，而是不争的事实。我被堀木之辈点醒，感到一种近乎屈辱的苦涩，嫖妓的热情也随之骤然冷却了。

堀木还出于赶浪头的虚荣（因为对方是堀木，我至今也没想出还有什么别的理由），某天将我带到一个叫作“共产主义读书会”（好像叫什么R·S，已记不清楚）的那种秘密研究会。对于堀木这号人来说，也许这种秘密集会也属于他那“导游东京”的内容之一。我被介绍给所谓的“同志”，买下了一本小册子，还听了上座的一位长得格外丑陋的青年讲解马克思的经济学。但对我来说，那些道理都是明摆着的。道理固然一点不错，但人心中有种说不清道不明的可怕东西。说它是欲，不够；说它是虚荣，不够；将色和欲加在一起，还是不够。究竟是什么自己不明白，不过我感到在人世的深处，不仅有经济，还有一种极其怪异的鬼怪故事类的东西，对那鬼怪故事极端惧怕的我，就如水往低处流一样会自然而然对所谓唯物论持肯定态度。然而，它却没能解除我对人的恐惧，也没有令我感到有如眼望生机勃勃新绿所感到的那种希望的欢欣。不过，我倒是一次不缺地参加R・S（我想是叫这么个名称，也许记错了）的活动，“同志”们似乎在办一件不得了的大事一般，紧绷着脸沉浸于一加一等于二那样的理论研究，几乎是初等数学，看起来分外滑稽。我呢，就用自己那种搞笑努力使会议气氛松弛。或许是这个原因吧，研究会乏味的氛围渐渐得到改善，我似乎成了该活动不可缺少的大红人了。或许这些看似单纯的人将我也看得和他们一样单纯，从而把我当成了一位诙谐滑稽的“同志”了。倘若果真如此，那就等于我从头到尾都欺骗了他们，因我不是“同志”。尽管如此，我仍一次不缺地来参加聚会，来做搞笑服务。

因为喜欢，我喜欢他们。不过，这亲密感却未必是靠马克思结成的。

不合法的地下活动，让我有几分快乐，与其说快乐，莫如说感觉舒畅。世上合法的东西反倒可怕（可以预感到其中有高深莫测的强悍之物），其机关、计谋极为费解。封闭无窗、严寒刺骨的房间，我无论如何也待不下去，外面哪怕是不合法的汪洋大海，也要纵身跳进去游泳直至死去，对我来说，索性如此更痛快。

有个词叫“见光死的人”，似乎指世上悲惨的失败者、道德败坏者。我感觉自己好像出世以来就是个“见光死”，如果碰上被世间指为“见光死的人”，我会感到心地柔软起来。而且，我“柔软的心”能柔软到自我陶醉的程度。

还有一个词叫“犯罪意识”。我在人世间的一生都被该意识折磨，然而它却是我糟糠之妻般的好伴侣，与它双双落寞地游戏，这或许是我的生存态度之一。另外，好像还有一句俗话叫作“小腿有伤之身”[1],这伤是我婴儿时出现在一条小腿上的，随着长大，不仅没有治愈，反而越演越烈，甚至深入及骨，每夜的痛苦简直就像置身千变万化的地狱（这倒是个很奇妙的说法）。然而，我却觉得这块伤逐渐比我的血肉还亲，甚至油然觉得疼痛就是它在表露活生生的感情，是它爱的私语。对我这种人来说，那个地下活动小组的氛围，出奇地让我感到安心、舒服。就是说，比起活动的本来目的，活动的氛围和我更合拍。而堀木呢，只是出于傻乎乎的嬉闹，参加了一次介绍我的聚会后便杳如黄鹤了，并且他拙劣地调侃，说什么马克思主义者在研究生产方面的同时，也需要“消费方面的视察”云云，

1　喻心中有鬼。

其后就不再露面，却一味劝诱我去进行“消费方面的视察”。想来，当时的马克思主义者真是五花八门，既有堀木型的出于虚荣赶浪头而自命为马克思主义者的，也有像我这种只是喜欢地下活动的氛围而赖在那里不走的。倘若这些实情被真正的马克思主义信奉者识破，人家定会对堀木和我怒不可遏，将我俩当作卑鄙的叛徒当场逐出。但是我并没被除名，甚至连堀木都没有遭到除名的处分。非常特别地，我在那个不合法的世界，反而比在合法的绅士世界过得更自在，并得以表现出所谓“健康”的状态。故而，我作为有培养前途的“同志”，甚至被委托去完成种种极其秘密的任务，说来实在让人忍俊不禁。实际上，我一次也没拒绝过那种任务，而是满不在乎地来者不拒，乐而受之，也没有发生过因办事不机灵被狗们（“同志”这样称呼警察）怀疑，遭到盘问继而灰心气馁的事情，总之谈笑风生又打诨逗趣，就这样轻松地将他们称为危险（该活动的成员们高度紧张如临大敌，他们风声鹤唳草木皆兵，甚至拙劣地模仿侦探小说，而他们委托我做的工作真是无聊到让人目瞪口呆，尽管如此，他们也还是夸大其危险而虚张声势）的工作出色完成了。我当时的心情是，假使当了党员被捕，终生坐牢也无所谓。我甚至想，比起恐惧着世人的“实际生活”而夜夜辗转难眠痛苦呻吟，说不定坐牢反而更轻松也未可知。

在樱木町别墅，父亲又是接待来客，又是外出办事的，有时忙得三四天也不和我打照面，但不管怎么说，父亲毕竟很可怕，很难亲近，我正想找个寄宿人家搬出去的时候，从管理别墅的老爷子那里听说父亲好像要把这座别墅卖掉。

父亲的议员任期届满，一定是出于种种理由，似乎已无意再次参选了。而且，在家乡建了一幢退隐养老的住宅，似乎对东京也并无留恋。可能是觉得专门为区区一个高中生的我留置公馆和仆人是种浪费还是怎的。（就像摸不透世人心理一样，父亲的心理我也难以捉摸。）总之，那房子不久就要转手他人，我便搬到本乡森川町一个旧公寓“仙游馆”的阴暗房间，这么一来，我即刻就为钱的问题而愁肠百结了。

以前，父亲每月都给我一定数额的零花钱，即便那钱两三天内花光，但因为烟、酒、奶酪、水果等家里随时都有，而书呀，文具呀，衣服之类，一切都可随时去附近小店赊账，如果是父亲关照的餐馆，招待堀木吃顿荞面条、天妇罗盖饭之类，也大可吃完就抬脚走人。

这样的生活一下子变成独自寄宿，所有用度都须靠每月定额的汇款解决，我感到茫然不知所措了。寄来的钱还是两三天即光，我心里发毛，方寸大乱，一边轮番向父亲、哥哥、姐姐等发电报和“详情函达”的信件要钱（信中所述情况悉数为滑稽的虚构，我是想，跟人要东西先逗他们发笑乃上策），一边向堀木取经开始光顾当铺，尽管这样，仍然经常经济拮据。

归根结底，我无力在无亲无故的寄宿处独立“生活”下去。我不敢一动不动地待在寄宿的房间里，感觉马上就会有人来给我一闷棍。我多次跑出去协助那个地下活动，要么就和堀木一起到处去喝劣酒，学业和绘画都几乎完全放弃，直到进入高二那年的十一月，闹出了和一个年长的有夫之妇的殉情事件，打那起我的人生陡然改变了。

学校呢，旷课是家常便饭；各门课呢，半点没学。可尽管如此，应付考试答卷似乎找到了诀窍，故而总算一直蒙混下来了。然而，因考勤不足等原因，校方似乎已背着我向家乡的父亲通报，大哥作为父亲的代理给我寄来一封措辞严厉的长信。不过，那些尚可暂且不管，自己的燃眉之急是没钱，还有就是那种地下工作严酷和频繁起来，再用漫不经心的态度已很难完成了。因为中央地区还是什么地区，总之就是本乡、小石川、下谷、神田那一带所有学校的马克思学生行动队队长的头衔落到了我头上。说是要武装起义，买来小刀（现在想来，那纤细的小刀连铅笔都削不了）将它揣进雨衣衣袋，到处奔波进行所谓“串联”。真想喝点酒好好睡一觉，但是没有钱。而且P（我记得有关党内的事是用这个暗语称呼的，或许我记得不对）方面托办的任务源源不断，弄得我连喘气的空闲都没有。以我病弱之躯，看来无论如何是干不下去了。本来仅仅是出于对地下工作的兴趣才来帮那个团体工作，结果却是无心插柳柳成荫，弄假成真了。特忙时，我私下仍禁不住对P的人们产生反感，觉得：你们找错门了，去找你们的直系人员去吧！而溜之乎也。然而逃是逃了，心情还是没能阴转晴，于是打定主意去死。

那时，对我有意的女人有三个。一个是我寄宿的仙游馆房主的女儿，当我协助搞那种运动累得筋疲力尽地回家来，饭也不吃就睡觉的时候，那姑娘必定拿着信纸和自来水笔来到我的房间。

“对不起！楼下弟弟妹妹太吵，连封信也没法写。”

说着就能坐在我的桌前写上一个多小时。

我呢，本可装聋作哑继续睡觉就是了，可看那姑娘的样子好像要让我说点什么，尽管我一句话也不想说，却发挥了往常那种被动的奉献精神，“嗯”上一声给疲惫的身体鼓一把劲儿，翻过身来，趴着吸起香烟。

“听说有男人用女人寄来的情书烧洗澡水呀！”

“哎呀！真讨厌！那人是你吧？”

“我倒是用它煮过牛奶喝。”

“荣幸啊！你尽管喝。”

这人怎么还不快走啊！还说什么写信，明明在扯谎，一定是在用七个字母画人脸[1]呢！

“给我看看嘛！”

---

1 一种孩子们的涂鸦，指用“へへののもへじ”七个平假名画各种造型的人脸。请参见下图，即为其中之一种。

以死也不想看的心情违心地说了上面这句话，引来一连串的“哎呀！不给嘛！”“哎呀！不给嘛！”那高兴的样子很不受看，使我顿失兴致。于是想到派她去办事。

“对不起，能给我到电车大街的药店买点卡尔莫钦[1]吗？我太累了，脸上发烫反而睡不着啦！对不起呀！钱嘛……”

“好啊！什么钱不钱的！”

她高兴地走了。吩咐女人去办事，绝不会让她垂头丧气，相反，被男人委托办事，女人是很高兴的，我深谙其中奥秘。

另一个是所谓“同志”，女子高师毕业的文科生。因为那个地下活动的事，我不管愿不愿意都得每天与此人见面。碰头完后此女总是跟着我走，还给我买很多东西。

“你可以把我当成亲姐姐呀！”

她那种装模作样的态度使我浑身发抖。

“我正是那样想的。”

我摆出含着忧郁的微笑回答道。总之，要是惹她生气就可怕了，得千方百计地蒙混过去——仅仅为此，我不断地哄着这个丑陋而讨厌的女人，然后，任她给我买东西（她买的其实全是品位低下的东西，我多半马上送给烤串店的老爷子），装出一脸欢喜，还说笑话逗她发笑。一个夏夜，她高低不肯离开，只因想让她走，我就在街头暗处给了她一个亲吻。这下可

1　卡尔莫钦：原文作“カルモチン”，一种镇静安眠药。

好，可怜兮兮的她激动得几乎发疯，叫来出租车把我带到一座大楼里的小小西式房间一直折腾到清晨。那房间似乎是他们为地下活动秘密租下的办公室。我暗暗苦笑：真是个荒诞不经的姐姐。

不论寄宿处的姑娘还是这位“同志”，我每天都免不了跟她们见面，没能像以前对各种女人那样成功逃避，于是乎便越陷越深。出于那种内心不安，一味取悦这两个女人，我便被牢牢捆住，已然身不由己了。

同一时期，我又意外地受了银座一家大型咖啡馆女招待的恩泽，尽管只见过一面，但碍于情面感到一种担心和说不清道不明的恐惧，一筹莫展。那时分，我已不再需要堀木的带领，能独自乘电车，也能独自去看歌舞伎，还能穿着碎白花的和服出入咖啡店，多多少少练出一张厚脸皮了。内心里依然对人的自信、暴力感到不解、恐惧和烦恼，而表面上却一点点学会跟外人郑重其事地寒暄——不，我还是不带上逗趣失败的苦笑就无法寒暄的体质——尽管是不顾一切、磕磕巴巴的寒暄，总算练就好歹能应付的“伎俩”。是多亏了搞那个运动的奔波？还是多亏了女人？抑或是多亏了酒？不过，主要还是多亏了没钱，才刚刚练出个大概。不管在哪里都感到恐惧，在大型咖啡店里被醉客或女招待、男侍应生围绕着，同他们打成一片的情况下，我那不断被追赶的心反而能沉静——心里这样想着，带了十元钱独自走进大型咖啡店，笑着对迎上来的女招待说：

“只有十元，你们看着办吧！”

“不用担心。”

她的话里夹杂着关西口音。于是，那句话便奇妙地使我颤抖的心平静下来。当然不是因为不需要为钱发愁了，而是感到有这个人在身边就不需要担心了。

我喝起了酒，因为对她放心，反倒没心思去搞笑，而是一言不发地喝酒，将自己本来的沉默和凄惶毫不掩饰地显露出来。

“这些，喜欢吗？”

女人把各种菜肴摆在我面前，我摇了摇头。

“光喝酒？俺也喝吧！”

那是一个秋天的寒夜。自己按恒子（记得她叫这个名，不过记忆模糊，不敢肯定。我就是这种连与自己殉情的女人名字都记不清的人）的交代，在银座小巷里一个寿司摊子上一边吃着难以下咽的寿司（虽然忘了她的名字，但当时寿司的那个难吃劲儿倒清晰地留在记忆里。长着青蛇一样脸孔的光头老爷子就那样摇头晃脑，佯装熟练地捏寿司的情景也能清晰地忆起，历历在目。多年以后，在电车上碰到个眼熟的脸孔，想了半天，发现有点像当年寿司摊老爷子而苦笑的情形也不止一次。眼下那女人的名字，甚至连脸孔都已在记忆中远去，唯独寿司摊老爷子的面孔却能分明地记得，甚至能画出来，可见当时那寿司不是一般难吃，而是给自己带来了寒意和痛苦。本来，即便被带到人人都说好吃的寿司店去吃，也从来没觉得好吃过。那寿司太大了，我总是想：为什么不能规规矩矩捏成拇指那么大的呢？），一边等她。

她租住在本所地区一个木工家的二楼。我在那个二楼毫不掩饰平素的阴郁心境，好像害了牙疼病一般一只手托着下巴喝着茶。可看样子她反倒很喜欢我这种姿势。她给我的感觉嘛，也是个形单影只的女人，似乎身旁只有被凛冽的寒风吹得狂舞的落叶。

我和她同眠共枕，听她讲自己的身世。她说：我比你大两岁，故乡在广岛。我还有老公呀！他原本在广岛开理发店的，去年春天和我一起离家出走逃来东京，可在东京没做什么正经工作，不久就被问成诈骗罪，现在蹲大牢呢；我一直每天往返监狱给他送个东西什么的，但从明天起就不送了，云云。然而，我呢，不知怎么对女人的身世毫无兴趣，或许是女人的说话技巧拙劣，就是说把重点搞错了吧，总之她的话我总是当成耳旁风。

孤寂——对我来说，女人痛说身世的万语千言，也赶不上这句喃喃自语更能勾起我的共鸣，可纵然我期待，却从没听这世间的女人说过这个词，这使我百思不解。然而，她固然没有说出“孤寂”这个词，但我却能从她周身感受到，无言的深深寂寞就像一股一寸宽的气流，只要挨近她，我的身体也会被这股气流包围，而且那气流还和我那刁钻的阴湿气恰到好处地融合在一起，正像“沉落在水底岩石上的枯叶”[1]一样，使我全身得以从恐怖和不安中解脱。

和诈骗犯妻子度过的一夜，与安睡在那些傻乎乎的妓女怀里，那感觉是迥然不同的。（首先，那些妓女开朗明快。）对自己来说，这一夜是获得解放的幸福（毫不犹豫地肯定性使用这个十分离谱的词，我以为在我这本手记中绝无仅有）之夜。

然而，只是一夜而已。清晨一醒跳起身来，我又变回原来那个善于装相的搞笑丑角了。胆小鬼甚至连幸福都害怕，棉花也能让他受伤，因为也确有为幸福所伤的情况。我就是要趁还没受伤赶紧就此分手才施放那种搞笑烟幕的。

“人说‘钱光缘分尽’，这句话么，解释反了。并不是说男人没钱了就被女人甩了，是男人没钱了，一味意志消沉，成了废物，就连笑声都没了底气，继而变得乖张扭曲最终自暴自弃。应该说是男甩女，变成个半疯子，甩呀甩彻底甩掉。这是《金泽大辞林》里的解释呀，可怜呀。那种心情我是深有体会啊！”

我记得，我确实说过上述一番“高论”，把恒子说得忍不

1　沉落在水底岩石上的枯叶：小说主人公在这里引用的是江户前期俳人内藤丈草（1662—1704，松尾芭蕉的弟子，蕉门十哲之一）的俳句，原文为“水底の、岩に落ち着く、木の葉かな”，试译为：河底水汤汤，沉落石上不复漂，枯叶叹悲凉。说的是树叶沉落河底石头上，才知道水在流淌，而自己动不了啦，即便是绿叶最后也会变成枯叶，遭遇和落叶同样的命运。小说主人公在这里反其意用之，比喻自己见到女人就像枯叶沉入河底石头上一样，反而心绪沉静从容了。这是一种对约定俗成的逆反。

住笑起来。我心里想着没必要久待，有危险，脸也不洗就飞快地撤走了。而当时我信口胡说的那句“钱光缘分尽”到后来却给我带来了想不到的瓜葛。

其后，我有一个月没见那晚的恩人，随着时间过去，分手后的快乐渐渐变得淡薄，受到的片刻恩泽反倒变成一种莫名其妙的恐惧，感觉我的天马行空受到了严重的束缚，甚至对当时的开销全部让恒子买了单这件小事也渐渐介意起来。我不由得感到恒子也和寄宿人家的姑娘、那个女子高师的学生一样，是足以对我构成威胁的女人，我虽远离恒子但还是恐惧不已。加之，我特别强烈地感到，我若再次见到和我有过一夜情的女人，那时她对我的怒火将会即刻熊熊燃烧起来，所以很怕再和她见面。故而，对银座越加敬而远之，但这种害怕见面绝非是我的狡猾，而是因为我对这种奇怪的现象尚未很好地领会，那现象就是，女人这种生物，是将上床后的事和早晨起床后的事巧妙地割断成两个世界来活着的，两者之间没有丝毫联系，俨然全部忘却了一样。

十一月末，我和堀木在神田的摊车喝劣质酒，这位狐朋狗友离开摊车后又提出换个地方继续喝。两个人身上已经没钱，可他仍然闹着：“去喝呀，去喝呀！”或许因为自己酒醉壮胆，就对他说：

“好！那就带你去梦想之国，你可别吃惊！叫作‘酒池肉林’……”

“咖啡馆吗?”

“对!”

“走啊!”

就这样，两人上了市营电车，堀木还起哄地叫嚷：

“老子今夜正饥渴难耐，可不可以亲吻女招待呀?”

我不大喜欢堀木那种耍酒疯的样子，堀木也知道，所以，他又叮问我一句：

“行吗? 是要亲的哟! 一定亲坐在老子旁边的女招待给你看看，行吗?”

“没关系吧。”

“谢谢! 今晚老子对女人正饥渴难熬。”

在银座四丁目下车，几乎身无分文的两人把恒子当救命稻草，走进了那个所谓“酒池肉林”的大型咖啡店，找个空包厢刚刚落座的瞬间，恒子和另一女招待便跑进来，另一女招待坐在我身旁，而恒子则一屁股坐在堀木身旁，吓了我一跳。恒子马上就要被吻了!

我并不是心里感到惋惜。自己的占有欲本来就很淡薄，即使心里偶尔生出一点惋惜，也没有魄力公然主张自己的所有权来与人争斗，以至于日后发生了我的同居女友被奸污我甚至坐视不管的情形。

我尽量不介入人们的纠纷，被卷进旋涡是很危险的。恒子和我就是一夜情的关系，恒子不属于我，我根本不可能有什么惋惜之类的狂妄欲望。不过，对恒子一屁股坐在堀木身旁我仍是吃了一惊。

因为恒子就要在自己眼前被堀木狂吻，我可怜恒子的遭际。恒子被堀木染指了恐怕不得不和我分手吧？况且，我也没有挽留住恒子的积极性，心里想着："啊！就此谢幕了。"尽管一瞬间对恒子的不幸吃了一惊，但立即像河水流去一样，内心乖乖地放弃了。我来回打量着堀木和恒子两人的脸孔，默默地笑了。

然而，实际上，事态意外地向坏的方面急速发展。

"算啦！"堀木歪着嘴说，"对这种贫贱女人，再怎么样老子也不能……"

他一筹莫展似的抱着自己的胳膊盯了恒子一阵，苦笑了起来。

"上酒！没有钱。"我悄声对恒子说。

那可真是一种要喝个肚皮朝天的架势。原来，在所谓庸人眼里，恒子仅仅是个寒酸、贫贱的女人，甚至不值得醉汉亲吻。是没想到呢，还是意料之外呢，我的感觉就像遭到万钧雷霆的袭击。我空前地往死里喝呀喝呀，醉得东倒西歪，同恒子默默相望，传递着悲哀的微笑。不拘如何，她被人那样一挖苦，我也在内心觉得这女人只是个异常疲惫的穷酸女人而已。但同时，没钱之人互相爱慕的一种亲切感（自己现在也认为，贫富两方的不和谐尽管陈腐，但仍然是电视连续剧的永恒主题）涌上心头，我顿觉恒子可爱可怜，有生以来第一次主动觉悟到自己生出了恋慕之心，尽管它很微弱。我吐了，烂醉如泥，喝了酒如此失态，那是第一次。

一睁眼，恒子坐在枕边。我躺在本所木工家二楼的房间里。

“您说什么‘钱光缘分尽’，人家还以为是开玩笑，难道您动真格了？不来找人家了嘛！好烦人的‘缘分尽’啊！人家挣钱养活您，还不行吗？”

“不行。”

接下来，女人也睡下了，天亮时分女人口中第一次蹦出个“死”字，她似乎也对人的生活筋疲力尽了；而我呢，考虑到对世间的惧怕、烦恼以及金钱、地下活动、女人、学业等等，根本无法继续忍耐着活下去，便爽快地同意了她的提议。

不过，当时，自己对真正的“去死”还没有心理准备，其中还潜藏着某种“玩玩”的心态。

那天上午，两人在浅草六区徘徊一阵子后，走进咖啡馆喝牛奶。

“您买单吧！”

我站起来从怀里掏出钱包打开一看，只有三枚铜钱。自己被一种与其说是羞耻，莫如说是凄惨的感觉所袭，脑中顷刻浮现出的是仙游馆自己那荒凉萧索的房间，只剩下制服和被褥，已再无一件可送去典当的物品，有的就只是此刻穿在身上走路的碎白花和服、披风，这就是我的现实。我已经清楚地认识到自己活不下去了。

因为我茫然若失，女人也站起来瞟了一眼我的钱包：

“啊呀！就那么点？”

虽然那是无心的一句话，但让我肝肠寸断。正因为这是我首次恋上的对象的声音，我才会心痛至此。还说什么“就那么点”，三枚铜钱根本就不是钱。那是我从未品尝过的异样羞辱，一种痛不欲生的羞辱。看来我终归没有完全脱离阔少的本性。那时，我对死有了实感，铁了心要主动赴死。

当夜，我俩纵身跳入镰仓的大海。女人说她的和服腰带是跟店里朋友借的，解下叠起来放到岩石上；我呢，也脱下了披风放到同一地点，然后双双投海。

女人死了，我却获救了。

我是个高中生，父亲的名字也有几分新闻价值，媒体好像作为特大新闻刊登了。

我被收容到海边医院，跑来个家乡的亲戚为我做各种善后，并对我宣告：故乡那边以父亲为首，全家都极为震怒，恐怕就此要和我恩断义绝了。说完就走人了。但比起那些，我更思念死去的恒子，一个劲地低声啜泣。因为至今为止接触的人中，我真正喜欢的唯独带有寒酸气的恒子一人。

寄宿人家的姑娘来了长信，里边有五十首和歌。五十首全是以“活下为我去！”[1]这文理不通的句子开头的和歌。女护士们也爽朗地笑着来我的病室玩，也有的女护士紧握一下我的手才出去。

在那家医院，我被查出左肺有问题，这倒对我有利。不久，我被指控犯有“协助自杀罪”，被从医院带到警署，警署将我作为病人收容进了特护室。

深夜，在特护室隔壁的值班室值夜班的老巡警悄悄打开了我的房门，对我喊了一声“喂！”说道：“冷吧？到我这来，烤烤火！”

我故意无精打采地走进值班室，坐到椅子上烤火。

“你还是很想那死去的女人吧？”

“是的。”我用一种悲痛欲绝的细声回答道。

“人之常情嘛！”

他逐渐摆出一副大大咧咧的态度。

“你第一次和女人发生关系是在哪里？”

他几乎像法官一样煞有介事地问道。他欺我是个孩子，摆出一副俨然他自己就是审案首席法官的架势，似乎要从我这儿套出淫猥的故事来排遣秋夜的寂寞。我很快就察觉了他的意图，竭力忍住不让自己笑出来。我也清楚，对这个巡警的“非正式讯问”完全可以拒绝作答，但为了给秋夜增加一点情趣，

---

1 活下为我去：原文“生きくれよ”，属于病句。正确说法应为“生きてくれよ”。为表达其文理不通，故译为“活下为我去”。

便佯装确信他就是主审法官，判刑轻重都在他一句话而做了“陈述”，以适当满足一下他那淫邪的好奇心。

“嗯，听了这些大致明白了。一切都要实话实说，这样我们也就可以酌情从轻处理。”

“谢谢！请多多关照！”

我这演技几乎是炉火纯青，并且是对自己没有任何好处的卖力表演。

天亮后，我被署长传唤，这次是正式提审。

开门进入署长房间的当口儿：“哎呀！好个爷们！这个这个，不怪你，要怪就怪你老娘！生了你这个好爷们。”

这是个脸色浅黑，好像大学刚毕了业的年轻署长。被冷不丁这样一说，我感觉自己很惨，就像个半边脸长满红斑、丑陋不堪的残疾人。

这位柔道或剑道选手一样的署长的审问，实在干脆，和深夜老巡警那种偷偷的、刨根问底的“审问”有天壤之别。审问结束后，他一边给检察院方面写报告一边说：

“不把身体弄结实点可不行啊！不是已经咳血了吗？”

那个早晨，怪的是一个劲地咳嗽，每次咳嗽我都用手帕来捂嘴，于是那手帕就沾上了红色的血斑。不过那不是喉咙出来的血，而是昨夜自己瞎捣鼓耳下长的小疖子，从那小疖子里出来的血。我忽然觉得还是不挑明对自己有好处，所以就只是垂下眼皮一本正经地回答道：

“是。”

署长写完了报告，说：

“是否起诉，要由检察院方面决定，你还是拍电报或打电话，请你的担保人今天到横滨检察院来一下吧！有吧？你的监护人担保人之类。”

我想起有个书画古玩商，是个又矮又胖、姓涩田的独身汉子，跟我家同乡，是给父亲“吹喇叭抬轿子”的，经常来父亲别墅，是我学校的担保人。那汉子的脸形，特别是眼神，说是很像比目鱼，所以父亲总是叫他比目鱼，我也就随着那样叫惯了。

我借用警察署的电话簿寻找比目鱼家的电话号码，找到了，便给他打电话，拜托他来一趟横滨检察院。结果比目鱼口气傲慢，好像变了一个人似的，不过总算是没有拒绝。

“喂！那个电话机还是马上消消毒为佳，怎么说也是咳血了。”

我回到特护室以后，署长吩咐警察们的大嗓门都传到特护室了。

过午，我被用细麻绳捆了，为遮羞容许我用披风遮盖，但麻绳的端头由一名年轻警察紧紧攥着，两人一起奔向横滨。

然而，我没有任何不安，对警察署的特护室和老巡警都感到很亲切，啊！我怎么会这样啊——被当作犯人捆绑，我反而松了一口气，感觉从容舒畅，就是现在写下对当时的回忆，心情都确实变得轻松愉快。

但是，在对当时那令人怀恋的回忆中，仅有一桩不胜汗颜、终生难忘的丢人事——我在检察院微暗的房间里接受检察官的讯问，检察官是个四十岁左右文文静静（如果说我自己是美貌，也是一种淫邪的美貌，而那位检察官的模样则该叫作端正的美貌，带有一种聪慧静谧的气场），看上去举止落落大方的那种人。我毫无戒心，正迷迷糊糊地交代，但突然出现了那种咳嗽，我从怀里掏出手帕瞥一眼上面的血，产生一个卑鄙的念头，心想这咳嗽说不定还能起某种作用呢，又吭吭吭连着假咳两声后，用手帕捂着嘴巴扫了检察官一眼。他刻不容缓地微笑着问了一句：

"是真的？"

沉静的微笑。实在令我冷汗淋漓，不，即使现在回想起来我也感觉天旋地转。中学时代，竹一那个混蛋捅我的脊背揭穿道："故意的！故意的！"简直就把我推下了地狱；而现在的我比那时更加狼狈。那次和这次，这两次是我一生表演惨败的记录。与其遭到那个检察官平静的侮辱，还不如被宣判十年徒刑——我甚至有时这样想。

被判决为缓期起诉，然而我丝毫也高兴不起来，惨兮兮地坐在检察院候审室的椅子上，等待比目鱼来接我回去。

从身后高高的窗子看得见晚霞绚烂的天空，海鸥排成"女"字队形在空中翱翔。

第三篇手记

一

竹一的预言，一个说中一个落空了。“招女人迷恋”这个不光彩的预言说中了，而“将会成为伟大的画家”这个充满祝福的好预言却落空了。

我只是成了那种无名的蹩脚漫画家，为俗陋的杂志供稿。

因镰仓自杀事件，我被高中校方开除，寄居在比目鱼家二楼一间三张席子大小的房间，家里每月给一点钱，还不是直接汇给我，而是悄悄汇到比目鱼手中（而且，那似乎还是哥哥们瞒着父亲汇的），除此而外与家乡的联系悉数被切断。通常比目鱼总臭着一张脸，我就是讨好地对他笑，他也难露笑容。人这种生物，怎能如此轻而易举地变脸呢？简直就跟翻书一样！真是浅薄，不，准确说是让我觉得滑稽。他对我说的话只有：

“出去可不行！总之，不要出去！”

比目鱼似乎推测我有自杀的可能，就是说，好像看出了我要再次投海追随女人而去，所以严格禁止我外出。但我既没有酒喝，又没有香烟吸，只是从早到晚龟缩在二楼三张席子大的房间被炉里，翻看过期杂志，过着傻瓜般的生活，连自杀的气力也失去了。

比目鱼的家在大久保的医专附近，门外招牌上写着什么“书画古玩商、青龙园”，名号虽然很气派，实际上却只是一栋小楼两家中的一家，而且门脸异常狭窄，店内满是灰尘，胡乱摆着一些破烂。（不过，比目鱼并不是靠这些破烂赚钱，而似乎别有一功，将东家“老爷”的秘藏古玩转让给西家“老爷”赚取价差。）他几乎不守店，十有八九是从早晨就一脸不痛快地匆匆出去，店里留守的只有一个十七八岁的小伙计，他负责看住我，得空便和附近的孩子们在外面投球玩，简直就把我这个二楼吃闲饭的当傻子或疯子之类，有时甚至对我来一通成人式的说教。我呢，因为生性不爱与人争，因此也就做出一副疲惫不堪而又十分佩服的表情，侧耳聆听表示顺从。这小伙计是涩田的私生子，尽管如此，似乎因一些特别的缘故涩田并没有承认这个“亲子关系”。而且，涩田一直独身似乎与此也有着某种关联，我感觉以前从家人口中也听说过一些传闻。不过，我属于对他人身世不感兴趣的类型，所以，更多的详情就不得而知了。但是，那小伙计的眼神也能使人联想到鱼眼，或许他真是比目鱼的私生子……然而，真若如此，这两人的亲子关系也太冷淡了。两人在深夜，曾背着二楼的我，无声无息地吃着叫来的外卖荞麦面条。

比目鱼家总是小伙计做饭。比目鱼和小伙计在楼梯下阴湿的四块半席子大的小屋里匆匆忙忙地吃，叮叮咣咣发出碗碟相碰的声响；唯独对我这个二楼的食客，是将饭食放在托盘上，由小伙计每天三次送上来。

三月末的一个傍晚，比目鱼或许是找到了什么赚钱的路子，抑或是要弄什么诡计（这两个推断就算猜对了，恐怕也还有好几个我无从判断的琐细动机），请我到饭桌前吃生鱼片，饭桌上摆着平时罕用的酒壶，而且，生鱼片并非比目鱼，而是味美价高的金枪鱼，这位请客的东道主自卖自夸地感慨万千，赞不绝口，还劝我这个傻乎乎的食客也喝一点酒，并借机问道：

“究竟怎么个打算，你今后？”

我没有回答，抓起桌上盘子里的沙丁鱼干片，端详着那些小鱼银色眼睛时朦胧感到醉意，怀恋起到处玩乐的日子，甚至都怀恋起了堀木，痛感需要“自由”，竟突然小声哭了起来。

我住进这个家后，就连搞笑的气力也没有了，只是置身于比目鱼和小伙计轻蔑的目光下。看样子比目鱼尽量回避与我释怀长谈，而我也没有跟在比目鱼屁股后向他倾诉点什么的心绪，彻底成了一脸呆相的食客。

“所谓缓期起诉，就不会变成有前科的惯犯。所以，怎么说呢，就是只要你自己有心，就可以重新做人。你如果痛改前非主动来找我商量，我也会加以考虑。”

比目鱼的话中，不，是世上所有人的话中，都隐隐约约带有某种微妙的令我避之唯恐不及的复杂心思。对这种毫无必要的浓重戒心和可谓数不胜数的烦人伎俩，我总是感到困惑，只好随它去吧，或搞笑逗乐或颔首默许，采取一切听天由命的消极态度。

多年后我才知道，本来把大致情况开门见山地向我转达就能解决的事情，只因当时比目鱼不必要的戒心，不，是因为世人那种不可理喻的虚荣和面子，而完全把我打入了郁闷之中。

倘若比目鱼当时像下面这样告诉我：

“不管公立私立，总之从四月起要进个学校。你的生活费入校后家里决定更多地汇给你。”

多年后我才明白，事实原来是这样。倘若如此，我会对他言听计从的。然而，因为比目鱼带有过度戒心拐弯抹角的表达方式，反而把事情弄拧巴，甚至改变了我的人生走向。

“你要是不认真地来找我商量，我也没辙，不过……”

“商量什么？”我自己真的想不出什么。

“你心里所想啊！”

“比如说？”

“什么叫比如说！你自己今后打算怎么办哪？”

“还是找份工作干好些？”

“不是，你心里到底是怎么想的？”

“可是，就算进学校也……”

“那需要钱。不过，问题不在钱，在你的心往何处想。”

为什么就不说“钱不是问题，家里已决定汇来”这句话呢？有了那句话，我就能吃颗定心丸，但他却把我打入了五里雾中。

“怎么样？有没有将来的希望什么的？说到底，照顾一个人有多难，受照顾的人是难以理解啊！”

“对不起。”

“你可真让人担心。我既然答应照顾你，就不希望你三心二意。你得拿出个洗心革面的样子给我看。比如，关于将来的计划，你主动来找我商量，我也打算帮你出出点子。但毕竟是贫穷的我比目鱼帮你，要是还指望像以前那样挥霍，你会失望的。不过，我甚至在想，如果你定下决心，明确地定下将来的方针来找我商量的话，哪怕零打碎敲，我也要帮你脱胎换骨。你能理解我的心思吗？你究竟今后是怎么个打算？”

“如果你家楼上不让我住了，我就上班……”

“这是你的真心话吗？这年头就是帝国大学毕业，也……”

“不是的，我不是要当公司职员。”

“那么，你想干什么？”

“当画家。”我大着胆子说。

“啊？”

我忘不了当时比目鱼脸上狡诈的神色，他缩着脖子大笑，要说那种笑像轻蔑，又有所不同。如把世间比作大海，那狡黠的笑容就像一个游荡在万丈幽深海底的怪影，又好像令我一眼偷窥到了成人生活深处的某种秘密。

“那种事根本不上路子，你一点都没有沉下心来。想想吧！今天一个晚上你好好想想！”我又挨了这一通说教之后，逃也似的上了二楼，躺下了还是没有想出什么。就这样，天亮了，我逃出了比目鱼的家。

傍晚我一准回来。到下列朋友处商谈未来计划，不必担心。不扯谎。

我用铅笔在纸上大大地写了如上几句话，并写上了浅草堀木正雄的地址、姓名，悄悄地走出了比目鱼的家。

我不是挨了比目鱼的说教心里憋屈才逃跑的，而是思前想后很感难过和无地自容——因为正如比目鱼所说，我是个不定性的男人，对将来计划出路心里完全没谱，这种情况还赖在比目鱼家，对他也有点过意不去；而且，即使我以后起了发奋之心长了志气，难道贫穷的比目鱼给得起我重新做人的资金吗？

然而，我逃离比目鱼家也不是真的为了去找堀木那种人商谈什么“未来计划”，我是想让比目鱼哪怕有一点点、瞬间的放心。（侦探小说里，有为尽可能远遁他乡争取时间，留下一纸书信的策略，我并不是这样。当然，肯定也有一点这种企图，但更主要的还是我害怕给比目鱼突然袭击使他方寸大乱、迷惑不解——这么说更接近实情。虽说反正迟早穿帮，不如趁早坦白；但我害怕，所以一定要加上某种掩饰，这是我可悲的癖好之一。这行径固然颇似世人所鄙视的“扯谎”，但我几乎没有为牟利而做过掩饰。纵然我的那种“玩命式的服务”被扭曲，微弱而荒唐，我也害怕氛围变得扫兴，令人窒息，故而尽管明知日后对自己不利，却往往出于“服务”的想法，无意中便加上了掩饰。不过，该癖好也给了世上“老实人”们大大的可乘之机。）那时我只是将记忆深处冒出来的堀木的地址、姓名一如原样地写在便笺边上罢了。

我出了比目鱼的家到了新宿，卖掉了怀中的书，结果还是走投无路了。我虽然对大家和蔼谦卑，但对“友情”并没有过真情实感，堀木之流的玩伴另当别论，其余所有交往，只是一味让我痛苦。我试图缓解那种痛苦，于是拼命地搞笑，到头来反而搞得筋疲力尽，在街上见到稍微熟悉的面孔，甚至包括与熟人相像的面孔，便为之一惊，顷刻间一种恼人的战栗向全身袭来，那种不快简直到了令人眼迷眩晕的程度。虽然我知道我招人喜欢，但似乎缺乏爱他人的能力。（不过，世人是否果真有“爱”的能力？对此我也深怀疑惑。）我既然是这样的人，当然不可能交上什么“密友”，再说，自己连“登门造访”的能力也没有。人家的房门对我来说，其阴森恐怖的程度比起《神曲》中的地狱之门有过之而无不及。可以毫不夸张地说，我真实地感受到，别人家门内有可怕的恶龙一样的怪兽在蠢动，浑身散发出腥臭的气味。

和任何人都没有交往，无力到任何地方去拜访。

堀木。

这可真叫弄假成真，我真的按自己的便笺留言所说，去浅草找堀木了。我以前从没主动去拜访过堀木，十有八九是发电报招呼他来找我。但想到眼下自己手中的钱够不够打电报都心中无数，加之自己落魄之身的乖戾，认为就是打了电报说不定堀木也不会来，故而下决心来一次自己最头痛的“拜访”。叹了口气坐上市内电车，当我悟到偌大世界自己唯一一根救命稻草却是那堀木的时候，某种令人不寒而栗的恐惧席卷全身。

堀木正好在家。他家是污浊的小巷深处的一栋二层小楼，堀木的房间在楼上，有六张席子大小，楼下住着他的老父老母，加上一个年轻的匠人共三人，他们正在缝补木屐带，敲敲打打地做着活计。

那天，堀木展示出他作为城里人的一个崭新侧面，即俗话所说的不吃亏。一个冷酷狡诈的利己主义者，简直让我这个乡巴佬惊诧莫名、瞠目结舌。他并不是像我一样漂泊无定的汉子。

“好家伙，服了你啦！老爷子原谅你了？还是没有呢？”

我不能说自己是逃出来的。

我照旧编瞎话来蒙骗。尽管明知道马上就会被堀木识破，但照旧蒙骗不误。

“那些，总会解决的。”

“喂，我说！这可不是闹着玩哦！奉劝你那些傻事也该就此打住啦！我今天还有事呢！最近忙得要命。”

“有事？啥事？”

“喂！我说！不要扯断坐垫上的线呀！”

我一边说话一边用指尖无意识地玩弄我坐的坐垫四角上的穗子，还用手使劲地抻拉，不知那是用于缝纫的，还是用于捆绑的。堀木那可真是横眉怒目的责备，看来只要是自家的东西，哪怕是坐垫上区区一根线，堀木也如此珍惜而毫无愧色。我想了一下，堀木和我交往以来，确实是没吃过半点亏的。

堀木的老母亲用托盘端来了两碗年糕小豆汤。

“啊，你看这……”

堀木就像个毫不掺假的大孝子一般在母亲面前诚惶诚恐，毕恭毕敬得就连措辞都显得做作：

“真不好意思，是年糕小豆汤啊？好阔气啊！用不着这么费心！我有事马上就要出去的。也罢，难得您拿手的年糕小豆汤，不吃就辜负了您一番美意啦！那我就不客气了。你小子也来一碗如何？老娘特意给我们做的嘛。这玩意儿真好吃啊！好阔气啊！”

他吃得津津有味，十分开心，倒也不像是在做戏。我呢，也喝了一小口，只是喝出白开水的味道，就这样吃了年糕，却发现并非年糕，而是什么莫名其妙的东西。我绝非轻蔑他家的贫穷（当时，自己也并不觉得那些不好吃，而且也切身感受到他老娘的一片心意。尽管我怀有对贫穷的恐惧，但自以为对他家并没有轻蔑），由于那年糕小豆汤和堀木的欢欣不已，让我看到了城里人节俭的本色和内外有别过日子的东京人家庭的真相。于是，一种氛围——自己这个里外不分、一味马不停蹄地逃离人的生活的低能儿被孤零零地抛弃，甚至连堀木都对我弃而不顾了——使我狼狈不堪，我手拿着掉了漆的筷子，思绪陷入一种无法忍受的怅惘之中，只想把这些记录下来。

“对不住，我今天还有事啊！”堀木站起身来，边穿衣边说，“失陪啦！对不起。”

这时，有女人来找他，就此，我的命运也随之骤然改变。

堀木突然变得活跃起来。

“啊呀！对不起。现在呀，我正要去拜访你呢。这个人突然造访，不过，没关系。快过来，请！”

我看他那样子相当慌乱，便把自己坐的坐垫抽出翻过来递给他们，可被堀木一把抢过去，又重新翻过来，让女客坐。因为房间里的坐垫除了堀木自己坐的之外，给客人坐的只有一个。

女人是个瘦高个，她把坐垫推到旁边，在靠近门的角落坐下来。

我呆呆地听着他们的谈话。女人好像是杂志社的，似乎拜托了堀木画什么插图，这会是来取的。

“因为要得很急。”

"好了。老早就搞好了！就是这个，请！"

此时来了一封电报。

堀木看了后，满面春风的表情立刻晴转阴：

"哎！你小子，这是怎么回事？"

是比目鱼来的电报。

"不管怎样你得马上回去！我倒是想送你回去，可我没有那个闲工夫啊！离家出走，还一脸满不在乎！真有你的！"

"您府上在哪里？"

"在大久保。"我顺嘴答道。

"那样的话，在我们公司附近。"

那女人说是生于甲州，现年二十八岁，与五岁的女儿住在高圆寺一带的公寓，丈夫已去世三年了。

"您好像吃了很多苦长大的，很机灵嘛！可怜！"

如此这般，我便首次当上了吃软饭的小白脸。每天静子（这是那位女记者的名字）到位于新宿的杂志社上班后，我就和名叫茂子的五岁女孩两人看家。以前她妈妈不在家时，她好像都是去公寓管理人的房间玩，而现在，有了"机灵"的叔叔当玩伴，显得格外开心。

我在她家糊里糊涂地待了一周。公寓窗户外电线上挂着一个风筝，被裹挟沙尘的春风吹得破烂不堪，但依然死死地缠在电线上不落下去，风吹得它的头一点一点的，我每次看到这个样子就感到可笑，脸红，甚至梦见它而被噩梦魇住。

“真需要钱啊！”

“……需要多少？”

“很多……人说道‘钱光缘分尽’，此言不谬啊！”

“瞎说，那种老掉牙的……”

“是吗？可你是不懂的。长此下去，说不定我要逃走呢！”

“究竟谁穷？又是谁要逃走？真奇了怪了。”

“我想自己挣钱，用那个钱来买酒，哦，不，买香烟。就说画画，我自以为要比堀木强多啦！”

这种时候，自己脑海中浮现出来的是我画的那几张中学时代被竹一称为“妖怪”的画。那是弄丢了的杰作，是在多次辗转搬家的过程中丢失的，可我感到唯独那些才确实是精品。其后虽然也试着画了很多，但都远远赶不上记忆中那些绝品，自己常被一种内心空落落、身心疲惫的失落感所困扰。

一杯喝剩下的苦艾酒——

我私下这样形容那永远难以补偿的失落感。话题一涉及画画，那杯喝剩下的苦艾酒便在脑中一闪而过，啊！真想把那些画拿给她看看，让她相信我的绘画才能，我为这种焦躁的情绪所纠缠。

“呵呵，怎么了？你绷着脸说笑话，好可爱！”

不是笑话，是实话。啊！心里想着：真想把那些画拿给她看看，徒劳无益的郁闷中我猛然灵机一动丢开了那个念头：

“漫画嘛，我自以为至少漫画比堀木画得好。”

这句搞笑的话反而被信以为真。

“就是嘛！我也是蛮佩服的。你常给茂子画的漫画，就连我也忍不住笑出来。试试看，怎么样？我还可以求求社里的总编啊！”

她的那个杂志社发行一种面向孩子的、不太知名的月刊杂志。

“……看到你，女人十有八九都特别想为你做点什么……因为你那总是惴惴不安的样子显得很滑稽的嘛！……偶尔你独自陷入深深的沉思，那样子更加撩拨女人的心。”

此外静子还说了好多话吹捧我，但想到那正是小白脸不光彩的特征，我的“消沉”便越演越烈，根本提不起精神，想着金钱重于美女，反正要脱离静子靠自己，心里暗自念念不忘，挖空心思，却反而渐渐落到非靠静子不可的结局。出走后的善后等全是这位胜过男人的甲州女人一手包揽，这也就带来了我对静子必须表现出“惴惴不安”的结果。

靠静子的妥善安排，比目鱼、堀木加上静子三人商妥，我和家乡彻底断绝来往，与静子“公开”同居；也多亏静子的斡旋，我的漫画也意外地能变钱了，我就用那钱来买酒买烟。但是，我的郁闷和心虚却变本加厉，真是消沉到了极点，以至于在给静子社里杂志画每月的漫画《金太雄太历险记》时，也油然忆起故乡的家，极度的孤寂和落寞使我无法运笔而俯首垂泪。

在那种时候，一线救命稻草就是茂子。茂子在那时已毫无拘束地称我为“爸爸”了。

“爸爸！人说要是祈祷，要什么上帝就会给你什么，这是真的吗？”

我自己，才更想做这样的祈祷呢。

啊！上帝呀，请赐给我清醒的意志吧！请告诉我“人”的本质吧！一人甩开另一人不是罪过，请赐给我愤怒表情的面具吧！

“嗯，对呀！茂子要什么上帝就会给你什么，不过这对爸爸我也许不灵。”

我甚至对上帝都感到恐惧，不相信上帝的爱，只相信上帝的惩罚。信仰，我觉得这只是为受上帝的鞭笞而俯首面对审判台。我相信地狱但怎么也不信有天国。

“为什么不灵呢？”

“因为我没有听爸妈的话。”

“是吗？可大家倒是都说爸爸你是个大好人哪，怎么……”

那是因为我欺骗了人们。我也知道公寓里的人们都对我好，但是，我是何等惧怕大家呀！越怕越受到大家的喜爱，越受喜爱就越怕，越想离开大家——要把这不幸的怪圈向茂子说明白，那也太难了。

“小茂，你究竟要向上帝祈求什么呢？”

我无意中转换了话题。

“茂子我呀，是想要真正的爸爸呀！”

我吓了一跳，顿时感到眩晕。冤家！我是茂子的冤家对头？抑或茂子是我的冤家对头？反正，这里也有个威胁我的可怕成年人，他人，百思不解的他人，满身秘密的他人。茂子的面孔看起来骤然成了陌生人。

原本以为至少茂子不在其列，但她也有着“突然拍死牛虻”的牛尾巴。从此以后，我对茂子也开始惴惴不安起来。

“色鬼！在吗？”

堀木又开始上门找我了。在我出走那天，他曾那样令我寒心，然而我却没有拒绝，而是用淡淡的微笑来迎接他。

“听说你小子的漫画很红啊，业余者傻大胆，无知无畏，我甘拜下风。不过，也不能松懈呀！你的草图就根本不像样子。”

他甚至摆出一副师傅的架势。要是把我那些“妖怪”画拿给他看，他会做何表情呢？我又徒劳无益地郁闷了。

“不许这样说我！我会惨叫的。”

堀木越发扬扬得意地说道：

“光靠混世的本事迟早是要露馅的！”

说我有什么“混世的本事”？对此，我实在是只有苦笑。但是，像我这样害怕人类、想逃避、扯谎蒙混的人，同遵循那句俚谚“你不招神神不惹你（明哲保身）”的人能一样吗？呜呼！人啊，对对方一无所知，彼此看法南辕北辙，却以为是刎颈之交，一生一世蒙在鼓里。对方去世了，还要痛哭流涕地致什么悼词，难道不是这样吗？

堀木毕竟参与了我出走的善后（那肯定是静子求他他才不情愿地答应的），摆出俨然帮我脱胎换骨的大恩人或月老一样的派头，煞有介事地板着面孔对我进行说教，有时深夜醉醺醺地跑到我这里住宿，也有时借五日元（每次都一定是五日元）后走掉。

“不过，你小子玩女人也该适可而止啦！再玩下去，世间就不答应啦！”

什么叫世间？很多人吗？这个世间具体在哪里呀？我以前一直一根筋地认定反正是个很厉害很严厉很可怕的东西，而经堀木一说——

“所谓世间不就是你吗？”

这句话到了嘴边，但又因不愿惹恼堀木而噎了回去。

（世间不答应。）

（不是世间，恐怕是你不答应吧？）

（你要干那种事，世间会让你倒大霉的。）

（不是世间，而是你吧？）

（很快你就要被世人埋葬。）

（埋我的人不是世人，而是你吧？）

你要知道你身上的可怕、怪异、恶毒、狡诈和女巫一样的……种种污言恶语在我脑中萦回，我却只用手帕擦了擦汗，说了一句话笑了：

“惭愧！惭愧！”

不过，从此以后，我便有了“所谓世间也就是个人”的想法。

就这样，认为“所谓世间也就是个人”以后，我多多少少能够按自己的意志来行事了。借用静子的话说就是，我变得任性，不再惴惴不安了；借用堀木的话说就是，变成一毛不拔的铁公鸡了；再借用茂子的话说则是，不太疼爱茂子了。

日复一日，一方面不说不笑地看着茂子，另一方面以闷闷不乐的心情，只为酒钱而慢吞吞地（自己的画笔本来是很快的）挥动画笔。都是应各家杂志社之约（静子的杂志社之外，其他社也开始陆陆续续地约稿了，但全是比静子的杂志社更加低俗的所谓三流出版社），什么《金太雄太历险记》啦，明显模仿《悠闲老爸》的什么《悠闲和尚》啦，还有《性急小平》之类的一些题目破罐子破摔似的漫画连载，自己都觉得莫名其妙的玩意。总之，静子前脚下班回来，我后脚立刻走人，前往高圆寺车站附近的摊车或立饮酒亭去喝便宜的烈性酒，然后变得开朗一些回到公寓。

“你的脸怎么越看越怪啊！喂，我说！‘悠闲和尚’的脸，实际上就是从你的脸上得到灵感的。”

“你睡觉时的脸也变老了许多嘛！就像个四十岁的男人。”

“那都怪你。被你吸的呗！‘流水消逝人去也’啊！‘何为懊恼河边柳’[1]啊！”

“别闹啦！早点休息吧！要不就吃饭？”

她很沉静，完全不接我的茬。

“要是有酒，我倒是想喝，但是……‘流水消逝人去也’啊！‘人消逝’，对了，‘流水消逝，水去也’[2]啊！”我边唱边让静子帮我脱了衣服，将自己的额头贴在她的胸前睡着了。这，就是我每天的生活。

日复一日重复相同的事，

依惯例与昨日差别全无，

只要能避开粗俗的狂喜，

自然也不会有大悲降临，

阻塞去路的绊脚的石头，

---

1 原文作“何をくよくよ川端柳”，是一种日本俗曲“都都逸”（用现代日语7，7，7，5格律组成，主要歌唱男女爱情）的词句，全文为“何をくよくよ、川端柳、水の流れを、みて暮す”（何为懊恼河边柳，笑看流水送光阴），相传是坂本龙马所作，抒发其对无常的人生命运泰然处之的胸怀。

2 原文作“水の流れと、人の身は”，歌舞伎剧目『松浦の太鼓』（《松浦鼓声》）“两国の橋の別れ”（惜别两国桥）一场中对歌之词句。说的是元禄十五年十二月十四日（1703.1.30），大雪纷飞的江户，俳谐师宝井其角（1661—1707）在东京两国桥偶遇其弟子大高源吾（1672—1703，赤穗四十七浪士之一）化装卖竹笋，其角误以为对方落魄，将自己的外褂送给他，并说有困难来找自己。临别前，其角咏了“发句”（连歌开头，在这里也是俳句）“年の瀬や、水の流れと、人の身は”，源吾接了一句“明日待たるる、その宝船”后飘然而去，其角目送着他，猜不透他这句的意思。实际上源吾是暗示自己次日即可功德圆满。次日，即发生了四十七浪士杀死吉良义央为家主复仇的大事件。前句试译为：“岁尾匆匆忙，流水消逝人去也，人生实无常”，本小说主人公因酒醉将“人”说成了“水”；后句试译为：“须待明日看宝船。”这里小说主人公将此俳句的两句安在俗曲“都都逸”的两句后，既说明其酩酊醉态，也是主人公借酒抒发对人生的感怀。

蟾蜍将会迂回绕开而行。

当我找到上田敏[1]翻译的名叫查尔·柯娄[2]的人的如上诗句时，我的脸红得火烧火燎。

蟾蜍。

（那就是我。不管世间原谅不原谅，无所谓埋葬不埋葬。自己是个比猫狗更加低级的动物——蟾蜍。不过慢吞吞地爬行着而已。）

我酒量渐渐大起来，不仅限于高圆寺附近，甚至到新宿、银座一带去喝，有时居然夜不归宿。只是或在酒吧装无赖，或一个接一个强吻女招待，以便做到不再依“惯例”行事。也就是说，我又回到殉情以前，不，已经沦为比那时更放荡、更粗俗的酒鬼。因苦于无钱，甚至把静子的衣服都拿出去典当。

距我来这里为那个破风筝而苦笑已有一年，樱树抽出嫩叶的时节，我再次将静子的和服带呀衬衣什么的悄悄拿出去典当，换了钱去银座喝酒，并连续两夜不归，到了第三个晚上，感到身体实在不舒服，便下意识地轻手轻脚地回到静子的公寓前，屋里传出静子和茂子的对话。

“他为什么喝酒呀？”

1　上田敏（1874—1916）：日本诗人、评论家、研究英国文学的学者。

2　查尔·柯娄（Charles Cros，1842—1888）：法国诗人。

“爸爸他呀，并不是喜欢喝酒才喝的，因为他是个太好的人，所以，所以……”

“好人就喝酒么？”

“倒也不是那样，不过……”

“爸爸肯定会大吃一惊的呀！”

“说不定他会讨厌的。你瞧！你瞧！从箱子里跳出来啦！”

“是不是有点像‘性急小平’呀！”

“可不是嘛！”

听得到静子轻轻的发自心底的幸福笑声。

我将房门开一条缝隙偷偷一看，原来是只小白兔。小白兔满屋子乱蹦乱跳，母女俩跟在后边追逐。

（好幸福啊，这母女俩！我这混蛋闯进了她二人之间，就快要把她们的日子搞得一塌糊涂。朴实无华的幸福，一对好母女。啊！如果神连我这等人的祈祷也能听，那么就听一次，哪怕一次也好，我祈祷赐给她们幸福。）

我真想跪下双手合十。我轻轻地把门关上又去了银座，这一去，就再也没有回到那个公寓。

就这样，我住进了京桥附近一家立饮酒亭的二楼，又一次吃起了软饭，开始了横躺竖卧的生活。

世间，我似乎开始隐约明白这个词了：人与人之争，而且是当场之争，并且要当场见高低。一个人，绝不能服从另一个人。就连奴隶也会进行奴隶式的当场还击。故而，人要当场一决雌雄，这是活下去的不二法门。口称冠冕堂皇的大义名分，而努力的目标必是为个人。战胜一个再迎战下一个，世间的难懂就是人类个体的难懂。汪洋大海指的并非世间，而是人的个体——我想着这些，从对世间这个汪洋大海幻影的惧怕中解放出来，不再像以前事无巨细都要挂虑，而学会了根据当前必要，带上几分恬不知耻的精神来行事。

我抛弃了高圆寺的公寓后，对京桥那里的立饮酒亭老板娘只说了一句：

“分了手过来的。”

一句就够了。就是说，我已初战告捷，从那天晚上起，我就极不客气地住进了这个二楼，但既没见“世间”对我有任何危害，我也没对“世间”做任何辩解。只要老板娘愿意，一切都不在话下。

在那个店我既像顾客，也像老板，还像听差，又像亲戚。按说旁观者看我是来历不明，但“世间”却一点都不以为怪，而且店里老主顾们也“小叶”“小叶”地称呼我，待我极为亲切并给我酒喝。

我对“世间”渐渐不再怀有戒心了，也不再认为“世间”是洪水猛兽了。就是说，我先前的恐惧，就好比说春风里裹挟着几十万只百日咳病菌啦，公共澡堂的洗澡水里有几十万只致人眼睛失明的病菌啦，理发店里有几十万只斑秃病病菌啦，国营电车吊环上有疥癣虫在蠢动啦，生鱼片、烧烤的牛肉猪肉上必然藏有绦虫、吸虫之类的虫卵啦，光脚走路玻璃碎片会从脚心进入人体，在肉体中游走最后将眼睛戳瞎啦，等等，就如同受着这些所谓“科学迷信”的威胁。几十万病菌或漂浮或游走或蠕动这一点，在“科学”上确实不假，但同时，我也知晓了只要当它根本不存在，那么它就不过是与己毫无干系、顷刻间化为乌有的“科学幽灵”而已。饭盒里吃剩下三颗饭粒，如果千万人每天都吃剩三颗饭粒，那就等于白扔好几袋子大米；或者千万人每人每天节省一张手纸，那就能富余出多少纸浆啊——我曾经何等被这些“科学的统计”所威胁，每当我剩一颗饭粒，每当我擦鼻涕时，就被一种浪费堆积成山的大米和手纸的错觉所烦恼而心情沉重，仿佛自己已犯下弥天大罪。然而，那些正是“科学谎言”“统计谎言”“数学谎言”，三粒米怎么汇集，拿来编乘除法应用题都只能显得原始而低能，这和计算——去没开灯的厕所多少次才有一次失足掉进粪坑，或多少乘客中有几人踩空在国营电车车门与月台边缘之间缝隙里——的概率同等荒唐。说得再煞有介事，也从没听说过一桩在厕所蹲坑失足受伤的案例。我毕竟一点点知晓了“世间”的真貌，感觉以前对被灌输的那些“科学事实”假说深信不疑并担惊受怕的自己十分可怜可爱，甚至要笑出声来。

话虽这样说，但人这种生物对我来说仍然相当可怕，不猛灌一杯酒，就不敢在店里见客。见到吓人的东西了嘛！尽管如此，每晚我还是来到店里，就像小孩怕小动物反而要把它紧紧地抓住一样，我怕客人，便喝得酩酊大醉向客人们兜售自己拙劣的艺术论。

漫画家。啊！自己倒是个无大喜也无大悲的无名漫画家。不管日后有多大悲哀来袭，我也需要粗狂的大喜；尽管我内心为此而焦躁不安，但眼下的欢乐唯有和客人闲扯，以及蹭客人的酒喝。

来到京桥后这种百无聊赖的生活已持续一年，我的漫画也不仅刊登在面向儿童的杂志上，而且还刊登在车站贩卖的粗俗杂志里。自己以“上司几太”[1]这个搞笑笔名画猥亵的裸体画，还大多插入《鲁拜集》里的四行诗：

> 让你停下徒劳的祈祷呢！
> 丢掉煽情催泪的东西，
> 且来干一杯，仅回忆美好，
> 多余的烦心全把它忘记。
>
> 用恐怖、不安来吓人的恶棍，
> 恐惧自己大罪缠身，
> 为防备死者的报复，
> 脑中不停在机关算尽。

---

1 原文“上司幾太”（じょうしいきた）与“情死（じょうし）、生きた（いきた）”（情死又活了）基本谐音。是小说主人公的一种自嘲式笔名。

昨夜酒醉我心愉快，
今晨酒醒唯有衰败，
短短一夜之间，
情绪如此剧变让人奇怪。

别想什么因果报应，
宛如远处传来咚咚鼓声，
那是莫名的不安袭来，
区区小事也判罪则救药不能。

说什么正义乃人生指针，
想想战场鲜血淋淋，
试看刺客刀尖之上，
焉有任何正义精神？

何处有指导原理？
睿智之光又在哪里？
尘世优美然而可怕，
柔弱的人子重担已负担不起。

只因被种下情欲之种，

善恶罪罚一片骂声，

无奈只有张皇失措，

只因神没赐予摧毁之功。

曾在何处如何彷徨？

说什么批判、探讨、重新考量？

空虚的梦境、子虚乌有的幻影，

啊唉，忘了酒才会出现这些虚妄。

请看这无垠的天空，

都不过是粒微尘飘浮其中，

鬼知道这地球因何要自转，

自转、公转，反转也是地球自己的事情。

到处都能感到至高无上的力量，

所有国家、民族全部算上，

发现都有相同的人性，

莫非唯我是个异样？

圣训很多人全都误读，

不然就是常识、智慧皆无，

又是禁欲，又是戒酒，

够了，穆斯塔法，对那些我深为厌恶。

可是，当时，有位处女劝我戒酒。

“这可不行！每天从白天起就喝得醉醺醺的。”

她是酒吧对面卖香烟小店里名叫小芳的姑娘，十七八岁光景，皮肤白皙，长着一对虎牙。每逢我去买烟，她总是这样对我好言相劝。

“怎么不行？为啥不行呀？有道是‘将所有的酒一饮而尽，为人子者啊！消除憎恨！消除憎恨！消除憎恨！’呀！这是昔日波斯的古训呢！啊呀，算啦，还有‘唯有让你微醉的玉杯，才能给你悲伤而疲惫的心带来希望’，你懂吗？”

“不懂。”

“你这傻丫头，我要亲你啦！”

“请吧！”

她大模大样地抬起下巴。

“傻货！连贞操观念都……”

然而，小芳脸上明显地能闻到没被任何人染指的黄花闺女的芳香。

年关过去后的一个寒夜，我醉醺醺地去买香烟，不慎掉进窨井里，我就喊着：“小芳，快来救我！”她把我拉上来，还给我处理了右臂的伤口，然后收起笑容恳切地说：

“您喝多啦！”

我对死倒是不在乎，但说啥也不愿意受伤出血变残疾人，所以我一边让小芳处理伤口一边想：这酒是不是也该适可而止了？

“我戒。从明天开始一滴也不喝了！”

“真的？”

“一定戒。戒了酒，小芳，你能给我做媳妇吗？”

“当喽！”

所谓“当”是“当然”的略语。什么“时（髦）男”啦，什么“时（髦）女”啦，那时节流行着许多略语。

“好！咱俩拉钩吧！肯定戒。”

而次日，我还是从白天就照喝不误。

傍晚，我摇摇晃晃地来到小芳的店前站住：“小芳，对不起，我又喝上啦！”

“哎呀！讨厌！故意装醉！”

“不，是真的。真喝了呀！不是什么装醉。”

“别逗我呀！您真坏！”

她居然丝毫不想怀疑。

“看看我就能知道，今天也从早喝到晚。请原谅啊！”

“您真会演戏啊！”

“不是演戏呀！傻丫头！要亲你啦！”

“请吧！”

“且慢，我没资格。娶你做媳妇的事也得死心。你看看我的脸，红了吧？是喝了哎！”

“那呀，是夕阳照的哦！不许骗人啊！昨天讲好了的。不可能喝呀！不是拉钩了吗！说什么喝了，那是扯谎！扯谎！扯谎！”

小芳坐在微暗的房间里微笑着，她那白净的脸，啊！那不知污秽的童贞何等宝贵！我还没有和比自己年纪小的处女上过床，结婚吧！多大的悲哀接踵而来也无所谓，一生哪怕一次也好，享受一下粗狂的大喜。我曾经以为，所谓处女美不过是荒诞诗人甘美感伤的幻觉，然而却果真存在于这个世界。我当场决定结婚，到了春天两人骑自行车去饱览一片葱郁中的瀑布美景。正所谓“一剑定乾坤”，偷香窃玉我没有犹豫。

如此这般，我们不久结了婚，婚姻带来的欢乐倒未必很大，但后来的悲哀之大却委实超乎想象，简直用“惨烈”二字都不足以形容。对我来说，“世间”仍是深不可测的可怖之地，绝非那种一个回合就能摆平一切的方便场所。

二

堀木和我。

一面相互轻蔑着交往，一面又在对方面前自我贬损。如果说这就是这个世间所谓的“朋友”，那么我和堀木的关系正是如此。

我依赖于京桥立饮酒亭老板娘的义气（女人的义气，这句话说法虽然有点怪，但据自己的经验，就城市男女来说，女人身上可称作义气的东西比男人多得多。男人十有八九战战兢兢装门面，而且一毛不拔），得以和香烟店的芳子结成姘居关系，并在筑地隅田川附近租下了木造二层小公寓楼下的一间屋，两人住在那里。我戒了酒，卖力地画着漫画，这正在变成我的固定职业。晚饭后，两人去看电影，归途进到咖啡店，有时还买盆花草享受生活的情趣。但相比之下，我更高兴听全面信赖我的小小新娘说话，或看她的一举一动，我的心中正开始产生几分暖意，以为或许不久自己也能渐渐像个人样，而不至于落得个死于非命的下场。然而，就在这个当口，堀木出现在我的面前。

“色鬼！唷嗬？你小子也一脸明事理的模样了嘛！今天，我可是高圆寺那位女士派来的呀！”说着，他突然放低声音用下巴指了指正在厨房泡茶的芳子问道，“没关系吗？”

“不妨事。说什么都可以。”我沉静地答道。

实际上，芳子简直可以称为信赖的天才，坦白了我跟京桥酒吧老板娘之间的关系自不待言，给她说了我在镰仓闹出殉情事件，她都不怀疑我和恒子的关系，那并非是因为我扯谎高明，而是因为我有时说得太直白，在芳子听来，那些都只是笑谈而已。

“还是包袱不轻的样子嘛！算什么！倒也没什么了不起的

呀！人家说是让你偶尔也来高圆寺玩玩呢！”

正要忘记，怪鸟振翅飞来，啄破了我记忆的伤口。顷刻间，往日耻辱和罪恶的记忆清晰地展现在眼前，使我如坐针毡，甚至想大叫一声。

“要不要去喝一点？”我说。

“好啊。”堀木答道。

我和堀木，两人外表相似，有时甚至感觉两个人一模一样，当然那只是到处买醉、喝廉价劣酒的时候。总之，两人一见面，眼看着就变成了形体相同、毛色也一样的两条狗，在大雪纷飞的小巷里东游西窜。

那天后，我们两人捐弃前嫌重叙旧谊，还一起到了京桥那个小酒吧，最后像两条烂醉如泥的狗来到高圆寺静子的公寓，竟然还留宿了一夜。

忘不了那是个闷热的夏夜。日暮时分，堀木穿着皱皱巴巴的浴衣来到了我的公寓。说是今天因急用把夏衣当了，可是怕被老娘知道想马上赎回，所以想借点钱。不巧我也囊空如洗，就依惯例让芳子把她的衣物拿去典当换了钱。去掉借给堀木的还有点剩余，便让芳子用那钱去买来烧酒，两人跑到公寓屋顶，沐浴着隅田川时而隐约吹来的臭水沟味道的风，摆下了脏兮兮的“纳凉晚宴”。

当时两人开始了猜喜剧名词和悲剧名词的比赛。这是我发明的游戏。名词分有男性名词、女性名词、中性名词等，我认为还应有喜剧名词和悲剧名词之别。比如，轮船和火车都是悲剧名词，市营电车和巴士都是喜剧名词，为什么呢？不懂这个原因就不足以谈艺术。就是说，剧作家哪怕在喜剧台词中插进了一个悲剧名词，仅此即不够格，而悲剧也是一样。

“你听好，我说啦。香烟？”我问道。

“悲（剧名词）。”堀木立即答道。

“药？”

“是药粉还是药丸？”

“针剂。”

“悲。”

“是吗？可还有荷尔蒙针剂呢！对不？”

“不，绝对是悲。首先，‘针’，不就是个典型的悲吗？”

“好，算我输了。不过，我给你说，‘药’啊‘医生’什么的，那些出乎意料都是喜呀！那么‘死’呢？”

“喜。‘牧师’‘和尚’也都是喜。”

“答得好！那么说，‘生’就是悲喽？”

“不对，那也是喜。”

“错！叫你那样一说，什么都是喜了。那么，再问你一个，‘漫画家’呢？总不能说是喜吧？”

“悲，悲！大悲！”

“什么呀！你才是大悲呢！”

演变成如此拙劣的玩笑固然无聊，但两人却对这种游戏乐此不疲，似乎感到这是一种世界上任何沙龙里都不曾有过的巧动脑筋的游戏。

当时，我还发明了另一种与此相类似的游戏，那就是猜反义词。“黑”的反义词是“白”，不过，“白”的反义词是“红”，“红”的反义词是“黑”。

“‘花’的反义词是什么？”

我一问，堀木歪着嘴巴思考。

“这个这个，因为有个料理店名叫‘花月’，那就是‘月’。”

“不对！那不是反义词，倒是同义词。‘星’和‘堇’也是同义词，不是反义词。”

“明白了。那么，‘蜂’呢？”

“‘蜜蜂’？”

“对应‘牡丹’……要么‘蚂蚁’？”

“什么呀！你说的那是绘画题材。别蒙人！”

“有了！‘花’对应‘云朵’。”

“‘月’才是对应‘云朵’吧？”

“有了，有了！‘花’对应‘风’，‘花’的反义词是‘风’。”

“你猜得太臭啦！你那不是浪花小调[1]的词句吗？露马

---

1 浪花小调：原文作“浪花節”，一种以三弦伴奏的说唱曲艺形式，大多以战记、故事、脚本等为题材，江户末期发源于大阪。

脚啦！”

“要不，是‘琵琶’。”

“更不行了！‘花’的反义词嘛……应该举出世上最不像花的东西才对。”

“所以，这个……等一等，闹了半天，是‘女人’啊？”

“那么顺便说说，‘女人’的同义词呢？”

“内脏。”

“看来你太没有诗意了。那么‘内脏’的反义词是什么？”

“牛奶。”

“这个倒有点水平。借这个劲再来一个，‘耻’的反义词是什么？”

“‘不知耻’，流行漫画家上司几太！”

“那么，堀木正雄呢？”

从这个时候起，两个人渐渐笑不出来了，心情变得阴郁，整个脑子里阵阵刺痛，就像烧酒喝醉后特有的那种被碎玻璃时时扎着的感觉。

“别臭美！老子可没像你小子那样，受过刑讯之辱呢！”

我吃了一惊。堀木的内心深处还没有拿我当人，在他眼里，我只不过是个自杀未遂、不要脸的愚蠢魔鬼，一具行尸走肉。他为自身的快乐只是实用主义地利用我的可利用之处，我跟他的“交情”不过仅此而已，想到这些我的确心中不爽。但换个思路想想，堀木那样看我倒也合乎情理，因为我本来早就是个没资格做人的孩子了，就连堀木也轻蔑我或许全是理所应当。

"'罪'，'罪'的反义词是什么呢？这个很难哦！"我装出一副漫不经心的表情问道。

"是'法律'呗！"堀木淡然答道。

我重新审视一下堀木的脸，在附近大楼闪烁的霓虹灯照射下，他那脸看上去就像魔鬼刑警一样威严，我不禁深感惊诧。

"所谓'罪'，要我说，反义词恐怕不是那种东西吧？"

居然说"罪"的反义词是"法律"！真是南辕北辙。不过，也许世人都如此简单地放心度日，他们还以为没有刑警的地方才有罪恶在蠢动呢。

"那么，是什么呢？是'上帝'？你小子身上倒是闻得到某种基督徒的味道，烦人啊！"

"啊呀！不要急着下结论嘛！两人再想想看，这不是个很有意思的题目吗？我认为只要听听对这个题目的看法，就能洞悉答题人的一切。"

"不可能吧？……'罪'的反义词是'善'，善良的市民。也就是像我这样的人。"

"别开玩笑啦！不过，'善'是'恶'的反义词，不是'罪'的反义词。"

"'恶'和'罪'有区别吗？"

"我认为有。善恶的概念是人创造出来的，是人自行造出来的道德语言。”

“真烦人呀！那么，还是‘上帝’喽！上帝，上帝。不管什么事，只要安到上帝身上就没错。好饿呀！”

“这会，芳子正在楼下煮蚕豆。”

“难得，那是我最爱吃的。”

他将两手枕在脑后仰卧着躺下了。

“你好像对‘罪’毫无兴趣嘛！”

“那是啊！我又不像你是个罪人，我再放荡，也没有害女人丢命、卷女人钱款这类劣迹呀！”

从我心中某处发出轻微却极力抗议的声音：不是害命，不是卷款！但我的积习又让我马上转念想：不，还是自己不好。

我无论如何也做不到打开天窗说亮话去跟他理论。郁闷的醉酒使我的情绪越来越充满火药味，我竭尽全力压抑着，几乎是自言自语地道：

“不过，光是坐牢并不是罪恶。我觉得明白了‘罪’的反义词，也就抓住了‘罪’的实质……上帝……救赎……爱……光明……可是‘上帝’也有‘撒旦’这个反义词，‘救赎’的反义词恐怕是‘苦恼’吧。‘爱’对应‘恨’，‘光’对应‘暗’，‘善’对应‘恶’，‘罪’对应‘祈祷’，‘罪’与‘悔’，‘罪’与‘坦白’，‘罪’与……啊！这全是同义词，‘罪’的反义词到底是什么呢？”

"'罪'这个词倒过来说是'蜜'[1]，甘如蜂蜜。好饿呀！拿点什么吃的来嘛！"

"你自己去拿不就得啦！"

我暴怒地喊道，可说是有生以来头一次。

"行啊！那我就下楼和小芳两人犯罪去喽！空口辩论不如现场考察，'罪'的反义词是'蜜豆'，要么是'蚕豆'？"

他醉得说话舌头都不能打弯了。

"随你的便！滚远点！"

"'罪'与'饿'，'饿'与'蚕豆'，不对，这是同义词吗？"

他一面信口胡说一面站起身来。

《罪与罚》，陀思妥耶夫斯基——这两个概念在脑际闪过，我茅塞顿开——假设那位陀氏不认为罪与罚是同义词，而是作为反义词将两者相提并论的呢？罪与罚，这是两个绝对不相通的概念，水火不相容。将罪与罚当反义词的陀氏笔下，那绿藻水棉、腐臭的水池和乱糟糟池底的……啊！有点明白了，慢着，还没……正当我脑中种种形象走马灯般转动的时候，看到了声色俱变的堀木：

"喂！还什么鬼蚕豆，不得了啦！你快过来！"

他是刚站起身来迷迷糊糊地下楼去，却又立马返回来的。

1　日语"罪"的发音是"つみ"，倒念就是"みつ"（蜜）。

“怎么了？”

在异样的紧张气氛中，两人从屋顶下到二楼，在从二楼往楼下我房间走的楼梯上，堀木站住了。

“你看！”他悄声说着并指给我看。

我房间上方的小窗开着，屋内情形从窗外可以一览无余。电灯没有关，明晃晃的灯光下，一对男女像两只动物般纠缠在一起。

我虽然两眼冒金星，上气不接下气，但心中却自语道：这也是人的形态，这也是人的形态，没什么可大惊小怪的。甚至都忘了去救援芳子，竟在楼梯上呆站住了。

堀木大声咳嗽了一下。我呢，逃命般地独自跑到楼上仰面朝天躺下，仰望着夏夜饱含水汽的天空。当时笼罩我全身的情感既不是愤惧，也不是厌恶，又不是悲哀，而是一种强烈的恐惧。这种恐惧并非是害怕坟地的鬼魂，而是那种不容你申辩、原始而猛烈的恐惧，就像突然在神社杉树林中见到身穿白衣的神像。我的少白头就是从那夜开始的。越加失去自信，越加对人无限怀疑，永远告别了对现世生活的一切期待、欢乐和共鸣。实际上，这是我一生中决定性的事件。被迎头一刀砍中面门，在此后我与任何人接近时，这伤痕都每每作痛不已。

“我深表同情，但这下你小子也有所领教了吧？我呢，可再不到这里来了，简直是地狱……不过对小芳，你还是原谅她吧！反正你也不是什么好鸟。那我失陪啦！”

堀木还没有愚蠢到在这种尴尬的场合流连忘返。

我起身独酌烧酒，接着尽情地号啕大哭起来，一直哭了个够。

不知何时，芳子端着盛满蚕豆的盘子呆呆地站在了我的身后。

“他本来说是什么都不做的，可竟然……”

“算了！什么都不要说了。你呀！就不知道怀疑人！坐下，吃豆吧！”

两人并肩坐下吃蚕豆。啊！难道信赖是罪过？作案那汉子是个三十岁光景、不学无术的小个子商人，他每次让我画漫画就装模作样地留下一点小钱。

其后那商人到底还是没敢再露头。说不上为什么，我恨那商人，更恨堀木，是他最先发现却没有马上哪怕是咳嗽一声，竟然不管不顾地折回屋顶来告诉我！不眠之夜，对堀木的憎恨和愤怒涌上心头，使我呻吟不止。

没什么原谅不原谅的，芳子是信赖的天才嘛，不知道对外人设防嘛。然而，这却是悲剧的缘由。

借问上帝，信赖乃罪过乎？

对我来说，芳子那纯真的信赖受到玷污比她身体受到玷污更严重，这成了日后我难以苟活下去的永久的恼恨之源。本来，猥琐而战战兢兢地专门看人脸色、信任人的能力惨遭破坏——对于这样一个我来说，芳子那纯洁无瑕的信任真有如满目葱郁中的瀑布般清新、爽快，但一夜之间它却沦为浑黄的污水。这不！芳子从那夜起就对我的一颦一笑都深为在意了。

“喂！”

每当听到我一声唤，她都会吓得浑身一颤，不知将视线投向哪里。无论我怎样逗她，怎样搞笑，她都是惶恐不安，战战兢兢，对我过度地用敬语说话。

纯洁无瑕之信赖真乃罪恶之源乎？

我四处搜寻翻阅了有夫之妇遭人强暴的各种故事，但没一个像芳子那样悲惨地被强暴的事例。这压根就不成其为故事。那小个子商人和芳子之间倘若有丝毫类似恋爱的感情，也许我的情绪反而会轻松一些。然而，因为芳子的信任，情况从那个夏夜以后变得不可收拾，我被迎头一刀正中面门，弄得声音沙哑华发顿生，也铸就了芳子一生都要战战兢兢的命运。那些故事十有八九都似乎把重点放在是否原谅妻子的“行为”上，而这对我来说，倒不认为是多么痛苦的大事。是不是丈夫保留原谅与否的权利才是幸福的？如果认为碍难原谅，无须闹得满城风雨，立马离婚再娶就是。倘若做不到，那就以“原谅”之名自我忍耐了。我甚至想：说千道万，只要丈夫心意定了，一切大概都会迎刃而解。就是说，那种事件对其丈夫来说确乎是个莫大的打击，但即便如此，在我想来那充其量也不过是一次“打击”，不同于无休止反复打来的巨浪，同有权的丈夫借着怒气任意处理的纠纷没有两样。但是，我呢，身为人夫却无任何夫权，一想就觉得一切错在自己，何谈愤怒，就连一句牢骚都不会发；而妻子呢，竟然是因为其罕见的优秀品质而惨遭强暴的。而且，这优秀品质正是其丈夫憧憬已久、无比疼爱、纯洁无瑕的信任。

纯洁无瑕之信任乃罪恶乎？

甚至对唯一指靠的优秀品质也产生了疑惑，我对一切早已不可理喻，追求的只剩下酒精了。我的面部表情变得无比卑贱猥琐，从早晨就开始喝烧酒，牙齿变得残缺不全，漫画也几乎都是画那些低级下流的货色。说穿了，实际上我从那时起就开始临摹春宫画私下贩卖。因为需要酒钱。看到诚惶诚恐、不敢正视我的芳子，我就怀疑这丫头戒心全无，跟那个商人不会只有一次吧？此外和堀木是不是也有事？或是和我不认识的人也有一腿？怀疑逐步升级，却没勇气下决心去盘问，纠结于那种不安和恐惧中苦苦挣扎，只是每每在酒醉后提心吊胆地尝试几句卑微的诱导式问话，内心则愚蠢地忽喜忽忧，而表面上则过量地搞笑，然后，极度疯狂地爱抚芳子一番后，烂泥一般沉沉睡去。

那年年底，我深夜烂醉如泥地回到家，想喝白糖水了。而芳子似乎睡着了，我便自己到厨房找出糖罐，但打开盖一看，罐里根本没有砂糖，却装着个长方形小黑盒，无意间拿起见到盒子的标签吓了一跳。那标签虽用指甲抠掉了一多半，但还留下一部分洋文，上面清楚地印着：DIAL[1]。

那时，我是光喝烧酒没服用安眠药，不过因为失眠是我的老毛病，所以，对绝大部分安眠药并不陌生。这一小盒安眠药应该有足够致死量。虽然还没有开封，但一定是她打算适当时机吃掉而撕掉标签藏在这里的。可怜！那姑娘因不懂标签上的洋文，以为撕掉标签就不会被发现吧。（你没有罪过。）

我悄悄地往杯子里倒满水，然后慢慢地开了封，把药一股脑全部抛入口中，慢条斯理地喝光了杯中的水，随即关灯睡下了。

据说，整整三昼夜我完全像死掉了一样。医生判断为误吃而暂没报警。据说我刚醒来时最先说出的胡话是：回家。虽然所谓的家是指何处连自己也不清楚，但据说确实那么说了，而且号啕痛哭。

迷雾渐渐散去，睁眼一看，枕边坐着比目鱼，他一脸不快。

"上回也是在年底呀。总是挑大家都忙得团团转的时候给我来这一手，简直要我的老命！"

听着比目鱼说话的，是京桥酒吧的老板娘。

"老板娘！"我招呼了一声。

"嗯，什么事？醒了？"

---

1 DIAL：一种镇静安眠药物。

老板娘弯腰将笑脸俯到我面前问道。

我痛哭流涕地说出一句自己都没有想到的话：

“请让我和芳子分手！”

老板娘直起身来，轻轻叹了口气。

接下来的我又一句话脱口而出，这也是意想不到的失言，不好形容是滑稽还是愚蠢：

“我要到没有女人的地方去！”

比目鱼首先哈哈大笑起来，老板娘也在嘻嘻地笑，我也流着热泪红着脸苦笑。

“嗯，还是那样的好。”

比目鱼放肆地笑着，说：

“还是去没女人的地方好。一旦有女的，你就完啦！没女人的地方，好主意！”

没女人的地方，自己这愚蠢的胡话到后来却真的一语成谶。

芳子似乎认定我是替她服的毒，对我比以前更加诚惶诚恐，我对她说什么她都毫无笑意，而且也很少开口了，故而，我不愿意待在公寓，于是出外去，又如往常那样往嘴里灌劣等酒。但服毒事件以来，我的身体显著消瘦，手脚疲软，漫画的工作也常常消极怠工起来，便拿着比目鱼当时留下的慰问金（比目鱼把那钱说成是“这是我涩田的一点小意思”，俨然是他自掏腰包拿给我的，但实际上好像是我哥哥们的钱。那时，我和从比目鱼家出走时不一样了，能隐隐约约看穿比目鱼那种装模作样的把戏了。我也狡猾地佯装全然不知，乖乖地向比目鱼表示感谢。不过他何以要搞这种低级的鬼把戏？我对此似懂非懂，觉得实在是不合常情），索性独自去了南伊豆的温泉等地。然而，我毕竟不具备悠闲地洗温泉享受的资格，一想到芳子便感到无边的冷清孤寂，根本没有闲情逸致从旅店窗口眺望什么远山。我既不换宽松棉袍也不去泡温泉，而只是跑到外面肮脏的茶棚区往死里灌烧酒，把身体作践得更差后返回东京了事。

那是东京飘落鹅毛大雪的一个夜晚。我喝得烂醉，嘴里自言自语地反复哼着“这里离故国几百里？这里离故国几百里？”[1]，一边用鞋尖踢飞积雪，一边走在银座背后的小巷里。突然，我吐了，那是我第一次咳血。地面的皑皑白雪画上了偌大的太阳旗。我蹲了一会，然后两手捧起干净地方的雪洗把脸哭了起来。

“这里是何处的小路？

1　这是明治三十八年（1905）日俄战争中日本的军歌《战友》中的两句歌词。第一段歌词是“ここは御国を何百里、離れて遠き満州の、赤い夕陽に照らされて、友は野末の石の下”（译意：这里离故国几百里？迢迢千里满洲地，如血残阳余晖照，战友静卧荒野里），唱出了对死去战友的思念，一经问世立即引起人们的共鸣，传唱全国，以至于当时日本无人不晓。据说日本军部曾明令送士兵出征时不许唱这首歌，但仍屡禁不止。

这里是何处的小路?”[1]

小姑娘哀婉的歌声从远处传来，好像幻听一样。不幸，这世上种种不幸的人，不，说全都是不幸的人也不过分。但那些人的不幸，可以向所谓世间进行堂堂正正的抗议，而世间的人们对其抗议也容易理解和同情。然而，我的不幸呢，都是源于我自身的罪恶，无法对任何人抗议，而且倘若支支吾吾刚说一句类似抗议的话，即便比目鱼不反驳，世间所有人也一定会惊诧莫名地说什么:“你真说得出口!”自己究竟是俗话所说的“我行我素”，还是其反面的过于懦弱?就连自己也闹不清楚。不过，反正我似乎是罪恶的渊薮，不幸自会越演越烈，而要制止则无计可施。

我站起身来，心里想着得先吃点什么药便进了药店。老板太太和我对视的瞬间，似乎被闪光灯照射了一样抬起头来，目瞪口呆地僵立住了。不过她那瞪着的眼里并没有惊异和厌恶，反倒现出了近乎求救或是爱慕的眼神。啊!此人也一定是个不幸的人，因为不幸的人对别人的不幸也是特别敏感的——我正在这样想，猛然发现她拄着丁字拐站得很吃力，几乎要倒地。我冲动地产生了跑向她的念头，但还是忍住了。再和她四

1 这里是何处的小路：日本童谣，一说是本居宣长六代孙本居长世所作，歌词为：通りゃんせ/通りゃんせ/ここはどこの細道じゃ/天神様の細道じゃ/ちっと通して　下しゃんせ/ご用のない者通しゃせぬ/この子の七つのお祝いに/お札を納めに　参ります/行きはよいよい　帰りはこわい　こわいながらも通りゃんせ通りゃんせ。译为：要过去，要过去，这里是何处的小道？是天神老爷的小道。让我们过一下，闲人不给过，为祝贺孩子七岁，来捐钱来了。来时高兴走时怕，害怕也要走过去。

目相对时，我已潸然泪下；而老板太太的大眼睛里也热泪横流了。

我就那样一言不发地走出了药店，踉踉跄跄地回到公寓，让芳子弄了盐水喝了，然后默默地睡了。次日也谎称有点感冒躺了一整天。晚上，因格外担心这次秘密的吐血，就爬起来又去了那家药店，这回我毫无隐瞒地笑着向老板夫人坦白了至今为止的身体状况，并咨询了对策。

“酒，您要是再不戒掉……”

两人俨然骨肉至亲。

“恐怕已经酒精中毒，现在也还是想喝。”

“不行。我丈夫就是，明明患结核病却说什么酒能杀菌，成了酒篓子，结果自我折了寿。”

“我担心得不行，害怕得不行。”

“我给你拿药，至少要先把酒戒掉！”

夫人（是个遗孀，有一男孩，考取了千叶还是什么地方的医科大学，但不久就患上了和他爸爸一样的病，现在休学了正在住院；家里有中风的老公公卧床不起；她本人是五岁时患小儿麻痹，一条腿完全不中用了）嗒嗒地拄着拐翻箱倒柜地找全了药物。

这是造血剂；

这是维生素注射液，注射器在这里；

这是钙片；

这是保护肠胃的，淀粉酶。

这是什么、那是什么，她慈爱地给我解释了五六种药物，不过，这位不幸的夫人的爱对我来说是过深了。最后，夫人说了一句“这是想喝酒实在受不了时用的药”，然后就忙不迭地用纸将一个小盒子包了起来。

那是吗啡注射液。

夫人说了，这个比酒害处小点，我也就信了；再者说当时我正感觉喝醉酒确实有点龌龊，也想体味一下久未体味的那种逃离酒精魔鬼的喜悦，所以就毫不犹豫地往自己臂上打了吗啡。不安、焦躁和羞怯，全部一扫而光，我甚至成了颇为健朗的雄辩家。于是只要一注射，我就连体弱都忘之脑后，浑身是劲地投入画漫画的工作，光怪陆离的构思灵感滚滚而来，以至于自己画着画着就忍不住笑出声来。

我本打算一天打一针却变成两针，到一天打四针的时候，已到了离开它就无法工作的地步。

“不行啊！要是中了毒就糟啦！”

药店夫人那样一说，我就感觉自己已成了相当严重的中毒者了。（我是那种对别人暗示很容易上钩的性格。人家对我说“这钱不许花呀”，但若再追加一句“可你小子不是别人呀”，那么我就总会产生一种若是不花掉它就有点对不起对方、似乎辜负了对方期待一样的错觉，一定要把那钱花掉。）或许出于对中毒的不安，我对那种药的需求反而更加升级。

“拜托！再给我来一盒。药钱月底一定付。”

“钱嘛，什么时候都无妨，倒是警察那边查得可严啦！”

唉！我这人怎么总摆脱不了那种污浊、阴暗、见不得阳光的气场！

“警方那边您就帮我适当蒙混一下，求您啦！给您一个吻吧！”

夫人脸红了。

我则进一步“趁热打铁”地说：

“没有那药，工作就毫无进展嘛！对我来说，那就相当于大补丸呀！”

“那样，还不如注射激素呢！”

“别蒙我！要么是酒，要么是药，没有它就干不了工作。”

“酒不行！”

“没错吧？我呀，用了那种药以后一滴酒也没喝。多亏它，身体相当好了！便是我，也不打算永远画那些下三烂漫画，今后我要戒了酒恢复身体，好好用功，一定会当上伟大的画家给你们看看！眼下是关键时刻，所以呀，求求您啦！要不要再给您个吻呀？”

夫人笑起来：

“好为难啊！不过你上瘾了可别赖我呀！”

她嗒嗒地拄着拐杖从架子上取下药品。

“可不能给你一盒呀！你会马上用光的，半盒吧！”

“好小气！唉，没法子啊！”

我回到家立刻就打了一支。

“不疼吗？”芳子惴惴不安地问道。

“疼啊，不过，为了提高工作效率，不愿意也得这样干哪！这阵子我很有精神吧？好了，开工！开工！开工！”

我高兴得欢蹦乱跳。

我也有时深夜去敲药店的门，扑上去亲吻穿着睡衣拄着拐杖的夫人，装出感激涕零的模样。

夫人默默地递给我一盒。

等我痛切地知道了那药也和烧酒一样，不，甚至比烧酒更加污秽和不祥的时候，我已经整个成了个标准的瘾君子。真是无耻之极，为得到那种药，我又临摹起了春宫画，而且甚至和那个残疾的药店夫人有了不折不扣的丑陋关系。

不想活了！干脆死了算了，已经无可救药。无论做什么、怎么做，都只是徒劳，只有丑上加丑。骑自行车游览一片葱郁中的瀑布水花之类对我来说已遥不可及，只有污秽的罪和卑鄙的罪的累加，越演越烈的苦恼而已。想死，非死不可，活着就是罪孽之源——就这样，尽管心已死，却依然近乎疯狂地一味往来于公寓和药店之间。

工作效率高，药量也随之水涨船高。赊欠的药钱已高得吓人，药店夫人一见我面就热泪滂沱，我也随之流泪。

地狱！

还剩下一个逃离地狱的最后手段，如果不成，那就只剩下上吊自杀一条路了——我下定决心要赌一把，相信天无绝人之路，世上真的有神，给故乡的父亲写了封长信，实话实说了自己的境遇。（不过女人的事情到底还是没敢写。）

然而，结果却更加不妙，左等右等都是杳如黄鹤，等待的焦躁和不安反而使我的药量更加升级。

今夜，我一口气打了十支，暗暗打定主意就这样跳进大河一死了之。但那天下午，比目鱼似乎用他那魔鬼般的直觉闻到了些风声，带着堀木来了。

“听说你咳血了呀？”

堀木盘腿坐在我面前，显出了空前的和善笑容。这让我又高兴又感谢，不由得转过脸去流下了眼泪。就这样，他区区一个笑容便将我蒙入彀中，完全葬送我投河一死的决心。

我被弄上汽车。比目鱼也心平气和地劝我说：“总之你要住院，其余一切都包在我身上！”（其沉静的语调简直都能用大慈大悲来形容。）我就像一个意志、判断一切皆无的木偶一样，只是低声啜泣，乖乖地听从那两人的吩咐。他俩加上芳子一行四人，在汽车里颠簸了好长时间，当暮色苍茫时分，我们来到森林中一家大医院的门口。

我一门心思地以为那是一所结核病疗养院。

一位年轻大夫以我不曾见过的温柔，郑重其事地给我做了检查后面带羞涩地笑着说："这个嘛，要在这里静养一段时间哦！"

比目鱼、堀木和芳子将要回去，把我独自丢在这里。芳子把装着我换洗衣服的包袱交给我，然后默默地从和服带中拿出注射器和用剩下的那种药给了我。难道她仍一直以为是补药吗？

"不要，已经不需要了。"

实在是稀罕。被别人劝诱而拒绝，这在我至今为止的一生中，可说是绝无仅有也不为过。我的不幸，是一个没有拒绝能力者的不幸。以为被别人劝诱而拒绝，就会受到恐怖的威胁，那恐怖恰似双方心灵上永远不可修补的明显裂痕。尽管如此，对我曾近乎疯狂般渴求的吗啡，当时自然而然地拒绝了，难道是被芳子那所谓"神明般的无知"打动了吗？那一瞬间，我产生了我已不再是瘾君子的感觉。

然而，紧接着我立马被那位面带羞涩微笑的年轻大夫带到一间病房，并"咔嚓"一声落了锁。原来这里是精神病院。

我吃安眠药时说出的愚蠢胡话——到没有女人的地方去，真的离奇地实现了。在这座楼的病房里住的是清一色的男疯子，连护士也都是男性，没一个女人。

现在的我，岂止是个罪人，还是个疯子。然而，不！我绝没有疯，一瞬间也没有疯过。但，唉，据说十个疯子有九个会这样说自己。这一来似乎就成了这个逻辑：关进这家医院的就是疯子，而没关进这家医院的则是正常人。

请问上帝：不抵抗是罪过乎？

我感泣于堀木那离奇优雅的微笑，忘记了判断和抵抗，就那样坐上汽车被带到这里，成了疯子。就是有一天从这里出去了，恐怕我的额头也还是会被打上个疯子，不，废人的烙印吧？

我已丧失了人格。

早已彻头彻尾，不再是个一撇一捺写出的“人”了。

来这里时是初夏时节，当时从铁窗向外还看得见院里小水池中睡莲开着红花。其后三个月过去了，院子里的大波斯菊绽放时节，想不到故乡的哥哥带着比目鱼来接我出院了。他用惯常那种一本正经又略带紧张的口气告诉我：父亲已于上个月因胃溃疡过世，我们不再过问你的过去，你不必发愁今后的生计，什么都不用干；尽管你会有种种依恋，但你得马上离开东京去乡下过疗养生活；你在东京惹的乱子自有涩田给善后，你就不必操心了；等等。

我感觉故乡的山河宛在眼前，轻轻地点了点头。

废人一个！

知道父亲去世的消息后，我变得越加颓唐。父亲已不在，我心中须臾不离的那值得眷恋而又可怕的形象已不复存在，我感到我装满苦恼的心变得空空如也。我甚至不由得想到，我那装满苦恼的心之所以极端沉重，不也是全怪父亲吗？我完全泄劲了，甚至连苦恼的能力也失去了。

大哥对我的承诺不折不扣地兑现了。从生我养我的市镇向南四五个小时车程的地方，有个东北罕见的海滨温泉，大哥在那里给我买下了五间茅屋。茅屋地处村头，似乎相当破旧，墙皮已经脱落，木柱也被虫蛀，几乎没法做任何修缮。又给我配了一个年近六十、满头红发的丑陋女佣。

其后又过了三年，此期间我曾遭到名叫阿铁的老女佣多次变态性侵，跟她有时简直就像两口子吵架。我的肺病时好时坏，身体时胖时瘦，出现了血痰，昨天让阿铁到村里药店去买卡尔莫钦，结果买来的药盒子包装不同往常，当时我也没有在意，临睡前我吃了十片还没有睡意，正感觉奇怪呢，肚子开始不对劲了，急忙跑到厕所，结果是一阵狂泻，而且接连又跑了三次厕所。很感诧异，仔细一看药盒，我吃的原来是名叫“黑诺莫钦”的泻药。

我仰躺着，肚子上放了个汤婆子，心想要好好说说阿铁。

“这个呀，我说，不是卡尔莫钦，叫黑诺莫钦。”

可刚说一半，自己就呵呵地笑了。看来“废人”，似乎是个喜剧性名词，想睡觉吃了泻药不亦滑稽搞笑？而且那泻药名叫黑诺莫钦。

眼下的我，既无幸福，也无不幸。

只是，一切都将过去变成过眼云烟——在我看来，在我置身并苟活至今的这个地狱般的“人”世界，唯一像真理的，仅此而已。

只是，一切都将过去变成过眼云烟。

今年我即将二十七岁，但因白发显著增多，在绝大多数人看来，像是已四十岁出头了。

后记

我并不直接认识写下这本手记的狂人。但是，有个女人应该就是手记中京桥附近立饮酒吧的老板娘，对她我倒是略知一二。小小个子、气色欠佳，高鼻梁且眼梢微微上挑，与其说是美女，莫如说是个俊朗的美男更为贴切。感觉该手记里主要写的似乎是昭和五、六、七年[1]那个时代的东京景象，而我被朋友两三次带到京桥那家立饮酒吧，喝苏打水兑的威士忌，是那个日本“军部”越来越专横跋扈的昭和十年前后的事情。故而，我就没能面晤写这本手记的男性。

然而，今年二月，我去拜访了疏散到千叶县船桥市的一位朋友，他是我大学时的所谓同窗，现在某女子大学当讲师。其实，我曾拜托这位朋友给我一个亲戚介绍对象，主要目的是去问问找到没有，另外也想顺便采购些海鲜什么的给家里人吃，我是背着大背囊去船桥市的。

船桥市是个临海市镇，相当不小。我的朋友是新搬过去

1　即公元1930、1931、1932年；后文中的昭和十年则为1935年。

的，所以，就是告诉当地人他家在什么街门牌号多少，也是相当难找的。本来天气就冷，加之背个大包，我累得肩酸背疼，突然听见唱机里放出小提琴音乐，便被吸引着推开了那家咖啡馆的门。

这家店的老板娘有点面熟，一问，她正是十年前京桥小酒吧的老板娘。她好像也马上就认出我来了，两人又惊又喜都有点夸张。故人见面，作为当时的老生常谈，必定会互相询问，那几次空袭中房子是否被烧毁，而我们俩却似很得意地拉起了家常。

“您，倒是一点没变嘛！”

“哪里话！已经是老太婆啦！身子骨快散架子啦！你才一点都不老呢！”

“哪里呀！孩子都三个啦！今天就是出来给那帮小的买吃的来了。”

两人也说了一通久别重逢熟人间的寒暄套话，然后，彼此打听两人都认识的熟人的消息。过了一会，老板娘突然口气一变说：“不知你认识不认识小叶？”我说“不认识”，老板娘就到里间拿来三个笔记本和三张照片交给我说：

“说不定能做小说之类的题材呢！”

我这人的习惯是用别人硬塞的材料写不出东西，所以，正准备当场还给她（关于三张照片的怪异情况，我在本文“引子”中已经写明），却被那照片吸引住了，便决定请她允许先放我手里。因回去时我还打算来这里一次，便问她认不认识住在某某街某某号、在女子大学当老师的某某。毕竟同是新住户，她说认识，还说："那位偶尔也光临小店呢。"原来我友之家和这家咖啡馆近在咫尺。

那天夜里，我与朋友喝了点酒，决定在他家留宿。我一夜没睡，一直贪婪地阅读那三本手记。

手记里写的虽是往事，但现代人读了也一定会颇感兴趣。在我想来，与其由我蹩脚地"加工润色"，还不如原封不动地送给哪家杂志社原文发表更有意义。

给孩子们买的特产海货全是干货。我背着背囊离开朋友家，归途中又到了那家咖啡店。

"昨天太谢谢了。那什么……"

我直奔主题：

"这些手记能暂借我些日子吗？"

"嗯，请便。"

"这个人还活着吗？"

"呀，那可一无所知。十年前，装有笔记和照片的包裹寄到京桥的店里，寄件人肯定是小叶。那包裹上既没写小叶的地址，也没写小叶的名字。空袭时乱糟糟混在其他东西里头，能幸存下来真不可思议。前些日子我才把它全看了……"

"哭了？"

"哪里。与其说哭更主要是……完啦！一个人成了那样就已经废了，您说是不？”

“其后已过去十年，那么，说不定已不在人世了吧。这是作为给您的礼物寄来的吧，写得多少有些夸张，不过好像您也受害不浅啊！假设这全都是真的，而我又是此人的朋友，说不定我也想把他送到精神病院了。”

“都怪他父亲啊！”她顺嘴那样说道，“我们认识的小叶很诚实、机灵，那么好的孩子只要是不喝酒，不，就是喝酒也……真是个菩萨般善良的孩子啊！”

斜阳

一

清晨，母亲在饭厅喝了一勺汤后发出轻轻的叫声：

“啊呀！”

“是头发？”我以为汤里混进了什么异物，便问道。

“不是。”

母亲若无其事地把一口汤飞快送进嘴里，转过脸将视线投向厨房窗外怒放的山樱花，再次飞快地把汤送进她那樱桃小口。用“飞快”来形容母亲绝不夸张。母亲的喝汤法和女性杂志上介绍的用餐礼仪之类迥然不同，有一次弟弟直治就曾对当姐姐的我讲过这样的话：

“不能说有爵位的就是贵族。既有杰出的贵族无爵位却有天爵，也有我们这样的，有爵位却近乎贱民。像什么岩岛（他举出自己的一位伯爵同学的姓氏），那种人不是比新宿花街的拉客大掌柜更低贱吗！前一段那小子在柳井（他举出自己同学、子爵家的次子）哥哥的婚礼上，穿了件晚宴服，那种场合有必要穿什么晚宴服吗？这倒也罢了，即席致贺词时，那个混蛋竟然用‘ゴザイマスル’[1]这种怪异的语言，实在令人作呕。拿腔作调是一种浅薄的虚张声势，和‘高雅’二字风马牛不相及。本乡一带有很多挂着‘高级宿舍’[2]牌子的学生公寓，但实际上那里的大部分所谓华族[3]都可以叫高级乞丐。真正的贵族是不像岩岛那样装腔作势的。我们家族里，正宗的贵族也就是妈妈了，这是货真价实的，有的方面我们望尘莫及。”

就说汤的喝法吧，我们一般是上半身前倾到汤碗上方，横拿着汤匙来舀汤并把汤匙横着送进嘴里，叫作“横着送”吧；而母亲呢，则是“顺着流”，她身子一点也不前倾，将左手指轻轻搭在桌沿，微微仰头连汤碗也不看，横拿着汤匙飞快地舀起汤，就像飞燕展翅一般，用难以形容的轻巧和优雅的动作将汤匙垂直地送往嘴边，于是，汤就从汤匙尖端自然流入唇齿间。而且，她一边一脸天真地环顾左右一边轻快地舞动着汤匙宛如翅膀翻飞，既不洒一滴汤水，也没发出过喝汤声音和餐具触碰汤碗的声音。如此用餐法也许不合乎所谓正规礼仪，但在我眼里显得分外可爱，觉得这才像正宗礼法。实际上，用“顺

---

1 ゴザイマスル：码头语言，大阪京都地区方言，过分谦卑亲切的语言。

2 本乡是东京大学所在的区域。高级宿舍，日文作“高等御下宿”，如1905年建的“本乡馆”，供学生伙食，一般是外地学生或留学生居住。据说日本名作家林芙美子、小林多喜二等，中国的蒋介石、茅盾等均在本乡馆住过。

3 华族：日本明治维新至第二次世界大战结束之间曾存在的贵族阶层。1869年，各地方诸侯“版籍奉还”之后，原来的“公家”（公卿）、“大名”（诸侯）等称呼被废除统称为“华族”。正式《华族令》于1884年7月7日颁布，1947年正式被废除。华族成为仅次于皇族的贵族阶层，享有许多政治、经济特权。

着流”的办法来喝汤水之类真是鲜美无比。我呢，因为是直治所说的那种“高级乞丐”，所以做不到像母亲那样轻巧、自然地操控汤匙，无奈之下就只好死心，依旧把上半身前倾到汤碗上方，用那种所谓正规礼仪的死板方法喝汤。

不仅限于喝汤，母亲的所有用餐法都确乎离经叛道。肉一上来，她就用刀叉很快地将其切成小块，放下刀子，将叉子换到右手，然后用叉子一块块叉肉来从容地享用。有连骨鸡肉时，既要把骨肉分开还要避免弄出触碰碗碟的声音，我们都在为此煞费苦心的时候，母亲则满不在乎地用手指尖拈着骨头处拿到嘴边，直接用嘴分离骨肉，简直旁若无人。正宗的到底是与众不同，就连这种野蛮粗鲁的动作，由母亲一做，就不光显得可爱，甚至有种莫名的妩媚。不仅吃连骨鸡肉，而且有时午餐吃火腿香肠之类，母亲也是轻巧地用手指尖抓着吃。

“你知道饭团为什么好吃吗？那个呀！因为是用手攥出来的呀！”

母亲还这样说过。

我也曾想过，可能用手抓着吃真好吃吧？但我觉得像我这样的“高级乞丐”要是东施效颦地模仿起来，那才真要变成“乞丐上桌图”，所以不敢造次只好忍耐。

就连弟弟直治也说：“和妈妈没法比呀！”我也深感学母亲很难，有时甚至近乎绝望。一个初秋夜，一轮明月当空，我和母亲两人在西片町[1]我家院子水池边凉亭里，一边赏月，一边笑谈着狐狸嫁女和老鼠嫁女准备嫁妆有何不同。正谈着呢，母亲突然站起身来走进凉亭旁的胡枝子树丛深处，然后从一片白色胡枝子花丛中露出比花更白一筹的脸，微笑着问道：

“和子，你猜猜妈妈我在干什么呢？”

“在折花。”

我一张口她就小声笑了。

“撒尿呀！”母亲说。

母亲一点也没有下蹲，对此我感到非常奇怪，然而，却同时发自内心感到可爱，我辈实在是难以效仿。

从今早喝汤的事，话题一下子扯得太远了。前一阵子，我还在一本书里读到路易王朝时代的贵妇们满不在乎地在宫殿院内或廊下角落里小便，感到那种旁若无人的天真委实可爱，就想，我母亲不也是那种正宗贵妇的最后一位吗？

今早，因母亲喝口汤后小声“啊”了一声，我便问道是不是汤里有头发，而她回答“不是”。

“说不定咸了？”

今早的汤是用配给的美国罐头青豌豆做的，我是把豆过筛后按西餐浓汤的样子做的，本就对烹饪没有把握，虽然母亲回答“不是”，我还是忐忑不安地又追问了一句。

1　西片町：东京都文京区街道名，在东京大学赤门附近，自明治时代起住过很多艺术家、文人等。

“汤做得很好。”

母亲认真地说，喝完汤又用手抓了个紫菜包着的饭团吃了起来。

我从小吃早饭就不香，不到十点钟左右就感觉不到饿。当时我也就勉强喝点汤应个景，主食却懒得吃，把饭团放在盘子里捅得乱七八糟，然后夹起小块像母亲用汤匙喝汤一样顺着送进口中，就跟喂鸟差不多。就在我慢腾腾吃着的时候，母亲已经吃完，轻轻站起身来将后背靠在沐浴着朝阳的墙壁上，默默地看着我的吃法，说道：

“和子，你还是不行啊。早饭一定要吃得很香才行啊！”

“妈妈您呢？吃得香吗？”

“我早就吃得很香了，我已不是病人啦！”

“和子我也不是病人呀！”

“不行，不行。”

母亲怅然地笑着摇了摇头。

我虽然五年前得过肺病，曾有一段日子卧床不起，但我知道那是一种任性病，而母亲前一段的病才是令人牵挂和伤心的病。然而，母亲却只是牵挂着我。

“啊！”

我叫了一声。

“什么？”

这回却是母亲反问我了。

两人面面相觑彼此间完全意会，我呵呵地笑了，母亲也莞尔一笑。

当我被一种难以忍受的羞耻感所袭击的时候，往往会发出一声奇怪的、轻声的“啊！”，刚才就是脑中突然色彩鲜明地浮现出六年前我离婚时的情景，于是不能自持发出声来。而母亲呢？她绝不会有我这样不堪的过去，慢着，或许有点什么？

“妈妈刚才也回忆起什么了吗？什么事呀？”

“忘啦！”

“有关我的事？”

“不是。”

“直治的事？”

“对，”她说了半句，又歪着头说，“也许。”

弟弟直治上大学期间被征入伍去了南方岛屿后杳无音信，战争结束了仍然下落不明，母亲说已做好了今生再也见不到他的最坏准备，而我从未做过那样的思想准备，一门心思认为一定还能见面。

“以为断了念想了，可喝了美味的汤又想起直治来不能自持了，想当初再善待他一点就好了。”

直治读高中时，疯狂地迷上了文学，开始了近乎小混混的生活，真不知让母亲操了多少心。然而母亲却喝了口汤便想起直治，唏嘘不已。我将饭塞进嘴里，眼圈红了。

“没事。直治会没事的！直治那样的坏小子是不容易死掉的啊！死的人一定是老实巴交、长得帅气、对人和蔼温柔的。直治那样的，用棍子打也打不死的。”

母亲笑着揶揄我：

“那么，是不是和子会早夭呀？”

“哎呀！为什么？像我这样的大脑门坏蛋，活到八十岁没问题呀！”

“是吗？那样的话，妈妈我活到九十岁也没问题啦！”

“嗯。”

我说了半句话便窘住了——坏蛋长寿，美人早夭。母亲漂亮但我希望她长寿。我有点迷茫了。

“捉弄人啊！”

我说了这句话下嘴唇便开始发颤，不由得泪如雨下。

不知能不能提起蛇的话题？在发生喝汤那件事的前四五天，邻家孩子们在院子的竹篱笆中发现十个蛇蛋。

孩子们断言：“是蝮蛇蛋！”

我想，要是竹丛里生出十条蝮蛇，那今后就不敢随便到院里来了，所以就说：

“烧掉吧！”

于是孩子们欢欣雀跃跟着我过来了。

在竹丛旁堆了些树叶和干柴，点着火，然后把蛇蛋一个个投进火中，蛇蛋很不容易燃烧。孩子们便又填了些树叶干柴把火烧得更旺，然而，蛇蛋根本就没有燃着的意思。

住在坡下边的农家姑娘在篱笆外笑着问道：

“你们在干什么呢？”

“烧蝮蛇蛋！要是出来蝮蛇那就太可怕了。”

“那蛋有多大？”

“鹌鹑蛋那么大，白白的。”

“那呀，是普通蛇蛋，不是蝮蛇蛋吧？没有煮熟的生蛋不容易烧着的呀！”

姑娘仿佛觉得很可笑似的笑着走了。

虽然烧了半个小时却怎么也烧不着，我就让孩子们把蛋从火中取出埋在梅树下，我呢，捡了一些小石头做了个墓标。

“快，大家都来拜拜呀！”

我蹲下身子双手合十，孩子们也似乎老老实实地跟在我后面蹲下双手合十。和孩子们分手后，我独自缓缓走上石阶，发现原来母亲站在石阶上部的藤架下。

“你们心真狠啊！”母亲说道。

“以为是蝮蛇却原来是一般的蛇。不过，好好地把它们埋葬了，没问题。”

我虽然嘴上这样说，但心里却想到，这事给母亲看到有点糟糕。

母亲本不是迷信之人，但自打十年前父亲在西片町的家里过世后，她就对蛇分外恐惧了。父亲临终前，母亲看到父亲枕边掉落一条黑绳子，刚想捡起却发现原来是一条蛇。它哧溜哧溜地飞快逃跑，钻到缘廊外后就不知去向了。说是见到此情形的仅有母亲与和田舅舅，两人面面相觑，不过为了不干扰屋内父亲的临终，便忍住了没吭声。我们呢，虽然也在场，却一无所知。

可是，父亲去世当天傍晚，院里水池边所有树上都盘踞着蛇，这情形我倒是亲眼所见。我现在是二十九岁的妇女了，十年前父亲去世时我十九岁，已不是小孩子，尽管经过了十年岁月，当时的记忆还历历在目，按说不会有误。那时我到水池边去折供奉用的花枝，在水池边杜鹃树那里站住猛然一看，一条小蛇缠绕在杜鹃树的枝头。我吃了一惊，正要折棣棠花枝时，却发现这个枝头上也缠绕着蛇。而且，桂花树、小枫树、金雀花树、紫藤萝、樱树，一棵棵树上全都盘踞着蛇。不过，我当时并没有觉得有多可怕，只感到蛇也和我一样，是为哀悼父亲的去世而从洞中爬出来拜谒父亲之灵的吧。我把院中见蛇的事悄悄告诉母亲时，她很沉静，只是歪着头若有所思的样子，什么也没说。

但是，这两次闹蛇事件造成了其后母亲对蛇的极度讨厌也是事实。与其说讨厌蛇，莫如说似乎产生了对蛇的崇敬和惧怕，就是说产生了敬畏感。

母亲看见烧蛇蛋一定会感到相当的不吉利，我想到这，对烧蛇蛋一事也突然感到恐惧起来，异常担忧此事会不会给母亲带来灾祸而纠结于心。可是，今早在饭厅顺嘴胡说出毫无根据的“美人早夭”的话题，说出口之后又没法自圆其说就急哭了。我收拾着早餐的餐具，总觉得自己体内仿佛钻进了一条将要让母亲损寿的可恶小蛇，讨厌得不行，又无计可施。

而就在喝汤那天，我又在院子里看见了蛇。那是一个风和日丽的好天，我收拾完厨房，把藤椅搬到院子里，正准备编织毛线活，却发现点景石那里的小竹上有蛇。啊呀！讨厌！我仅仅这样想了一下，没有多想便将藤椅搬回了廊下，摆在那里坐下开始织毛线。下午，我要到院子角落的佛堂中去翻找收在里边的藏书，取洛朗桑[1]画集，但刚来到院子里，便看到一条蛇在草坪上缓缓地爬行，跟早晨那条蛇一模一样。这是一条修长、高雅的蛇，我感觉是雌性。她静静地横穿草坪爬到野蔷薇荫下便停住，抬起头吐出微微颤动的火红信子。她就那样观望了一会儿周围，然后低下头懒洋洋地伏着了。我脑中当时也只是觉得这是一条好看的蛇，然后就去佛堂拿了画集，而折回时瞄了一眼蛇刚才所在的地方，蛇已踪影全无了。

傍晚前，与母亲在中式房间边喝茶边望着院子里，发现今早那条蛇又缓缓地出现在第三级石阶上。

“那条蛇莫非是……”

母亲也发现了，她说完这半句话旋即起身跑到我这边，抓住我的手吓呆了。听到母亲问话，我一下想起来了，这句话脱

---

1 玛丽·洛朗桑（Marie Laurencin，1885—1956）：法国画家，以用优雅和谐的颜色表现年轻妇女和儿童而著称。作品有《母子》《深宫后院》等。

口而出：

“那些蛇蛋的母亲？”

“对，对呀！”母亲声音沙哑。

我俩手拉着手屏着气，默默地注视着那条蛇。那条蛇在石阶上若有所思，不一会儿趴着的身体又开始跌跌撞撞地动起来，无力地横穿石阶爬到燕子花那边去了。

“从早晨起，它就在院子里爬来爬去的。”

我小声嘟囔一句，母亲便叹了口气，一屁股坐到椅子上了，然后低沉地说：

“对吧？是在寻找它的蛋呀！可怜！”

我无奈地轻轻笑了。

夕阳照着母亲的脸，母亲的眼睛显得蓝光幽幽，那微微带点愠怒的脸孔雍容端丽，让我恨不得扑到她的身上。我想到，啊！母亲的脸和刚才那条美女蛇好像有某种相似。我又感到，恐怕盘踞在我心中蝮蛇似的翻滚着的那条丑陋的蛇，迟早要咬死这条悲哀深重、美丽绝伦的蛇吧？那是为什么啊？为什么啊？

我把手搭在母亲那柔软而纤瘦的肩头，我的身体莫名其妙地在痛苦扭动。

我们舍弃了西片町的房子，搬到伊豆半岛这个带点儿中国风格的山庄，是日本投降那年十二月初的事情。我家的生计全部由和田舅舅支撑，他是母亲的弟弟，也是眼下母亲唯一的骨肉亲人。战争结束世道变了，和田舅舅似乎跟母亲说了："已经不行啦！除了卖房子没别的办法。把女佣全打发了，你们母女二人在乡下什么地方买个清爽房子过日子为佳。"母亲这个人呢，对于金钱之事比孩子们更外行，好像经舅舅一说就顺势拜托舅舅帮忙办理了。

十一月末，舅舅来了快信，写的是下面内容：河田子爵[1]位于骏豆线[2]沿线的别墅正在出卖，那房子建于高地，视野开阔，旱地有一百坪[3]，周围是赏梅胜地，冬暖夏凉，如果住在那里一定会满意。还写着：觉得有必要直接和卖方面洽，所以，务乞明日来我银座的事务所。

"妈妈，去吗？"我问道。

"你舅舅不是请我们去的吗？"母亲笑着说，笑得很凄楚。

次日，拜托以前的司机老松山陪同，母亲是在过午时分启程，晚八点时分由老松山送回来的。

"定了呀！"

她走进我的房间将手臂拄在我桌子上就势颓然坐下，冒出了上面一句话。

1　河田子爵：河田景与（1828—1897），幕府末期及明治时代的武士、政治家，华族，曾任鸟取县知事。

2　骏豆线：在本文中指早先存在的连接旧诸侯国骏河国（现在的静冈县中部）和伊豆国（现在的静冈县东部、伊豆半岛等）的有轨电车，1963年已撤销。现在的骏豆线是从三岛市的三岛站到伊豆市的修善寺站。

3　坪：日本土地面积单位，1坪约等于3.306平方米。

“什么定了？”

“所有的。”

“可是……”我吃了一惊，“什么样的房子，看也不看一眼就……”

母亲用一只胳膊肘拄着桌子，把手轻轻放在额头上，小声叹了口气：

“和田舅舅说是好地方嘛！我觉得就是闭着眼搬去都可以。”说着，她抬起脸轻声地笑了。那面庞有些憔悴但十分美。

“是啊！”我也被母亲无条件信任舅舅这种善良心地所征服，只好随声附和，“那么，和子我也闭眼啊！”

两人放声大笑，大笑之余却又感觉十分落寞。

接着，就每天都有工人来家捆行李准备搬家，和田舅舅也来了，一项项安排，将要卖掉的东西卖掉。我和女仆阿君两人又是整理衣物又是在院中焚烧破烂，忙得不亦乐乎。而母亲既不帮忙收拾，也不做任何指挥，总是在一边磨磨蹭蹭。

“怎么啦？不想去伊豆了？”我狠着心问道，口气有点生硬。

“不是。”母亲只是一脸茫然地答道。

过了十天，总算收拾停当。傍晚，我和阿君两人在院中焚烧碎纸和稻草，母亲也走出屋子，站在廊下默默地看着燃烧的火苗。凛冽的西风从苍茫暮色中吹来，把白烟吹得几乎贴着地面匍匐游走。我无意中仰视母亲的脸，发现母亲脸色空前难看，令我惊愕。

“妈妈！您脸色很差呀！”

我这样一叫，母亲浮起微笑。

“没事呀！”说完，便回屋里去了。

当晚，因被褥都已打进行李，阿君就在二楼沙发上对付着睡，母亲和我就在母亲房间共用从邻居那借来的一套被褥一起休息了。

母亲意外地说：

“因为有和子，因为和子陪伴我才到伊豆去呀！因为有和子的陪伴。”

声音苍老、衰弱，令人惊异，我吓得心里怦怦直跳，不由得问道：

“要是没有和子呢？”

母亲突然哭了起来：

“那还不如死了。在这个你父亲亡故的家，你母亲我也不想活了呀！”

她断断续续地说着，恸哭得越发厉害了。

母亲以前从没在我面前说过这种泄气话，也没有在我面前哭得这么厉害过。父亲去世时，我出嫁时，我大着肚子回到母亲这里时，我在医院产下死婴时，我病得卧床不起时，还有，直治干了坏事时，母亲从没在别人面前露出过如此孱弱的态度。父亲走后的十年间，她和父亲在世时一样，一直是个悠闲、亲切的母亲。我们也就这样在娇惯中无忧无虑地长大。然而现在，母亲已经没钱了，钱都为了我和直治毫不吝啬地用掉了。就这样，到头来不得不搬离这多年住惯了的老屋，与我两人相依为命到伊豆的小山庄里苦度光阴。如果母亲小里小气留个心眼，对我们训斥叫骂并偷偷设法积攒些私房钱的话，那么，世道再变也不至于沦落到痛不欲生的程度。啊！钱没了这件事，是何等可怕、何等凄惨、何等的叫天天不应叫地地不灵啊！我百感交集，为有生以来第一次发现这一点感到苦不堪言，欲哭无泪，难道这种感觉就是所谓人生的严酷和世态炎凉吗？我仰卧在那里一动也不能动，仿佛自己是一块石头。

次日，母亲脸色依然很差，还是在那里磨磨蹭蹭，想在这个家哪怕多流连一分钟。和田舅舅来吩咐说行李已经发走，今天就上路去伊豆，母亲这才不情愿地穿上外套，默默地对来道别的阿君以及进进出出的客人点点头，与我和舅舅三人一起走出了西片町的家。

火车较空，三人都有座位。在火车里，舅舅兴致勃勃地哼着小曲，但母亲脸色很差，低着头瑟瑟发抖的样子。在三岛换乘骏豆线在伊豆的长冈下了车，又坐了十五分钟的巴士，下车后朝山的方向上了一个缓坡，就看见一个小小村落，而那村落边上就有个中国式的、有几分雅致的山庄。

“妈妈，是个比想象还好的地方呀！”我上气不接下气地说。

“是啊！”母亲也站在山庄大门前，瞬间露出欣喜的神情。

“首先，空气好，空气新鲜啊！”舅舅为自己所选的地点而自卖自夸。

“真的。”母亲微笑着说，“好清新，这里空气真清新！”

说着三个人都笑了。

一进大门，看到从大门到屋里到处都堆着行李。

“其次，从客厅往外看风景优美！”

舅舅开心地将我们拉到客厅，让我们坐下。

下午三点光景，冬日的阳光柔和地照耀着院里的草坪，草坪石阶最下边有个小水池，还有很多梅树，院落下边是一大片橘林，还有村道，那边是水田，水田尽头有松林，松林对面就能看到大海。我们就这样坐在客厅，海面水平线的高度看起来似乎刚好触碰到我的乳头。

“真是柔美的风景啊！”母亲的话中带有几分愁绪。

“可能是因为空气的缘故吧，阳光都和东京截然不同，好像隔了一层薄纱一样。”我也跟着起劲地说。

这个山庄的房间有一间十块席子大小的、一间六块席子大小的，还有中式客厅、三块席子大小的洗澡间、饭厅和厨房，外加二楼一间洋式客房，客房里有一张大床。房间数不多，但我想我们俩住，不，就是直治回来也不嫌小。

舅舅到据说是村里唯一一家旅店去订饭，不一会，他把送来的便当都端到客厅，喝着带来的威士忌，谈论着这个山庄旧庄主河田子爵到中国旅游时丢人现眼的糗事，一片欢闹。但母亲却仅仅在便当上动了几筷子。良久，周围变得微暗。

“就让我先这样睡一会！”这时母亲悄声说。

我从行李中取出被褥侍候她躺下，又总感到担心，从行李包里找出体温计一量，居然是三十九度。

舅舅也慌了，连忙到下面村子找医生去了。

“妈妈！”

我怎么叫她，她都是迷迷糊糊的。

我紧握着母亲的小手啜泣起来。我觉得母亲好可怜，好可怜啊，不，是我们俩好可怜，好可怜啊！我哭啊哭啊，一直哭个不停，甚至真的想就这么着和母亲一起死去算了。感觉我们已什么都不需要了，我们的人生在离开西片町时就已经完结了。

大约过了两个小时，舅舅带回了村里医生。该医生看似已有一大把年纪，身穿着仙台平[1]裙裤，脚上穿着白色短布袜。

他看完病，说了句把握不大的话：

“说不定要变肺炎，不过就是得了肺炎，也不用担心。”

然后，给打完了针就回去了。

到了次日，母亲的高烧仍然没退。和田舅舅交给我两千日

1 仙台平：极上等的布料。相传是十七世纪前后仙台藩主从京都西阵聘请工匠织成的，故而得名。

元[1]，丢下一句“万一非住院不可，就往东京打电报”，于当天暂回东京去了。

我从行李中取出最低限度必要的炊具，做了稀粥劝母亲喝。母亲躺着只喝了三汤匙便摇头不要了。

快到中午时，村里医生又来了。这次没有穿裙裤，但仍然穿着白色短布袜。

“要不还是住院……”我刚说半句。

“不，没那个必要吧！今天我给你母亲打一针强效药，估计会退烧的。”

他依然是那种没什么自信的回答，接着就给打了针，然后回去了。

不过，也许是强效药起了作用，当天过午，母亲满脸通红，大汗淋漓，她换睡衣时笑着说：

“说不定是一位名医呢！”

体温降到三十七度，我高兴地跑到村里唯一的那家旅店，拜托老板娘匀给我们十个鸡蛋，回来立即将其煮得半熟让母亲吃。母亲吃了三个，又喝了半碗稀粥。

翌日，村里名医再次穿白色短布袜到来。我对昨天那针强效药表示感谢，他深深地点头表示产生效果理所当然，然后仔

1 当时昭和二十年（1945）十二月，标准米十公斤为六日元，次年三月暴涨到二十日元，第三年七月涨至一百日元。经译者考证，当时的两千日元可买三千多公斤米，而现今只能买五公斤左右。货币购买力之变化，请参照此注。

细地瞧过病，面朝我说：

“老夫人的病已然不可谓之病了。故而，今后饮食、做事一切皆宜!”

他的话还是相当的咬文嚼字，我费好大劲才忍住没笑出来。

把医生送到门口返回客厅时，母亲已经在地板上坐了起来。

“真是名医呀！我已经没病啦!”母亲满面春风，陶醉般地自语道。

“妈妈！要不要打开拉门？外面下雪呢!”

花瓣似的鹅毛大雪纷纷扬扬下起来了。我打开拉门，同母亲并排坐着，隔着窗玻璃欣赏伊豆的雪景。

“已经没病了。”母亲又一次喃喃自语。

“往这儿这么一坐，真觉得往事全是梦境。说实话，马上就要搬家上路时我变卦了，实在不愿意来伊豆了，想在西片町那个家哪怕再多赖半天也好。上了火车，我的心情半死不活的，到了这里，虽然开头有点兴奋，但天刚黑就撕心裂肺地想东京，都晕过去了。那病可是非同一般。上帝杀了我一次，接着又让我死而复苏，变成不同于昨天的我了。”

其后，我们母女二人总算平安地熬到了今天。村里人也对我们很亲切。搬来时是去年十月，经过了一月、二月、三月，到了四月的今天，我们除了做饭外，多半都是在缘廊里织毛线，或者在中式房间看书抑或是喝茶，过着几乎与世隔绝的生活。二月，梅花盛开，满村一片梅香扑鼻；而三月，也大多是风和日丽，怒放的梅花一点也不见凋谢，一直开到三月底。早晨、晚上，白天、夜里，梅花的美景令人赞叹。打开前面的玻璃窗，总会有一股馨香扑进房间；三月末，一到傍晚必定起风，风会把花瓣吹入窗内，落入我摆在餐厅的碗碟里。到了四月，我和母亲在廊下织毛线，两人多半是谈论田里种什么的话题。母亲说她也要帮忙。啊呀！我这样一写，似乎真像母亲曾说的，我俩都死去了一次，又复苏成了不同于原来的另两个人。然而，人，恐怕不能像耶稣那样复活吧。尽管母亲那样说，但她喝口汤也还是会想念直治而不由得叫出声来；我呢，往日的伤痕也没有丝毫的平复。

啊！一切一切我都要如实写出，毫不隐瞒。我有时甚至暗想，这个山庄的安详和谐都只不过是虚伪的表象。这就算是上帝赐给我们母女俩的短暂的休养时段，我也强烈地感到某种不祥的阴影已经潜入这种祥和的生活中。母亲虽然佯装幸福，实际上日渐衰弱；而我呢，心中钻进了蝮蛇，虽然母亲日渐衰弱，我却在不断发福，怎么控制也还是发胖不止，啊！但愿这只是因为季节的原因。此期间这种生活有时让我忍无可忍，干出烧蛇蛋这种低劣的事，肯定也是我焦躁情绪的表现之一。而那样做，只能徒然加重母亲的悲伤，使她衰弱的身体每况愈下。

“恋爱”，我写出这两个字后，写不下去了。

二

烧蛇蛋的事过去十天后，另一件晦气事接踵而来，越发加重了母亲的悲伤，缩短了她的寿命。

那就是我差点引发一场大火。

从小到大的人生中，我做梦也没有想到过，自己竟会变成引起火灾的元凶。

用火疏忽就会引起火灾，难道我真是个连这点极为浅显的道理都不懂的千金小姐吗?

我半夜起来去卫生间，来到玄关屏风旁，发现洗澡间那边很亮。无意中一瞥，发现洗澡间的窗玻璃一片火红，并发出噼噼啪啪的声音。我小跑过去打开洗澡间的矮门，赤着脚跑出去一看，原来堆在烧水炉灶旁的大堆柴火正在熊熊燃烧!

我连忙跑到与我家院子相邻的农家拼命敲门并喊道:“中井先生！快起来！失火啦!”

中井好像已经睡下了，但即刻答道:“好的，马上去!”

我还在说着“求求您了，求您快点!”的时候，他已经穿着睡衣从家里跑出来了。

两人跑到大火旁，用铁桶舀水池中的水往火上浇。这时，从客厅走廊那里传来了母亲“啊！”的喊叫声，我丢开水桶从院里上到套廊。

“妈妈，别担心！没事的！您休息吧！”

说着搀起马上要倒的母亲，把她带到被窝那里，让她躺下就又奔回火场。这次是从浴缸中舀水递给中井，中井再将其泼到柴堆上。但因火势太猛，光这样根本扑不灭。

“失火啦！失火啦！别墅失火啦！”

这喊声从下面传来，顷刻间就有四五个村民打坏篱笆墙跑了进来。就这样，取墙根下蓄水池里的水，用水桶逐人传递，两三分钟之内将火扑灭了。差一点就烧到了洗澡间的屋顶。

我正要松口气，发觉了失火的原因不由得吓了一跳。说真的，那时我才知道，这场火灾风波的源头不是别人，正是我自己。原来傍晚我把没燃尽的柴火从炉灶中扒出后，以为已经把火熄灭，便将其堆在木柴堆旁边，结果造成死灰复燃。发觉到这个我就想哭，正在那里呆立时，篱笆墙外传来前院西山家媳妇的大嗓门：“洗澡间全烧光啦！炉火管理马马虎虎造成的呀！”

村长藤田先生、二宫巡警、警防团[1]团长大内先生等人都

1　警防团：为防备空袭而由消防组和防空机构联合构成的团体，1939年设立，1947年废除。

来了，藤田村长面带微笑，用一贯的和蔼语气问道："吓坏了吧，怎么搞的呀？"

"是我不好。本以为柴火熄灭了……"

我话没说完就感到自己也太惨了，就一直那样低头不语。当时我想，也许会被带到警署判罪。突然间对自己赤脚穿着睡衣的狼狈相羞愧起来，深切地觉得自己真是穷途末路了。

"明白了。你母亲怎么样？"藤田用体恤的口气静静地问道。

"正在客厅休息呢，吓得够呛……"

"不过嘛，"年轻的二宫巡警也安慰说，"房子没事就好。"

这时，坡下农家的中井先生换过衣服重新出来了。

"没什么，只不过烧了点柴火。连小火警都算不上。"他激动地说，以此来庇护我愚蠢的过失。

"原来这样，明白了。"村长连续点头两三次，接着又和二宫巡警商量几句什么，"那么，我们就回了。请代向你母亲问候！"说完，就和警防团长大内先生及其他人一起回去了。

只有二宫巡警留了下来，并走到我的面前，用极低的气声对我说："那么，今晚的事，就不上报了。"

二宫巡警走后，坡下农家的中井先生担惊受怕地问道："二宫先生说什么了？"

"他说'就不上报了'。"我这样回答。

还有很多邻居在墙根那站着，他们听到了我的话，连声说

“是吗？太好啦！”“太好啦！”便陆陆续续回去了。

中井先生也说了句“晚安！”便回去了，只有我一个人茫然地站在柴堆旁，含着泪仰望天空。天已经快亮了。

我在洗澡间洗了脸和手脚，有点害怕见到母亲，所以就在三张席子大小的洗澡间重新梳头，然后又去厨房毫无必要地收拾碗碟餐具，一直磨蹭到天色大亮。

天亮后，我蹑手蹑脚地往客厅一看，母亲已换好衣服，正疲惫地坐在中式房间的椅子上，看见我后微笑了一下，但脸色惨白得让人吃惊。

我没有笑，默默地站在母亲的椅子后。

过了一会，母亲说：“多大的事啊！柴火本来就是易燃品嘛！”

我突然高兴起来，呵呵地笑了。我想起《圣经》里的箴言“一句话说得合宜，就如金苹果在银网子里”[1]，有如此慈爱的母亲，我深深感谢神明赐我的这种幸福。昨晚的事已经过去，没必要闷闷不乐。我一直站在母亲身后，透过中式房间的玻璃窗眺望伊豆的大海，最后感觉母亲的呼吸都和我的呼吸完美地合拍了。

吃了点早饭后，我开始整理着火的柴堆，这时，村里唯一的旅店的老板娘阿咲来了。

---

1 该句出自《旧约·箴言》25：11。

“怎么了？怎么了？我是才听说，啊呀！昨夜究竟怎么搞的呀？”

她边说着话边从院子的柴扉那里小跑进来，眼里含着泪花。

“对不起。”我小声地说。

“什么对不起对得起的，甭管那些，小姐！倒是警方那边怎么样啊？”

“说是没事了。”

“啊呀！那真太好啦！”她满脸由衷的高兴。

我和阿咲商量怎么感谢村民们才好，阿咲说：“还是给钱吧！”把该去酬谢的人家都告诉了我。“不过，小姐你要是不愿意一个人去，我可以跟你一起去呀！”

“还是一个人去的好吧？”

“能一个人去？那还是一个人去的好。”

“那就我一个人去啦！”

接着，阿咲又帮我收拾了一会柴堆。

收拾完我就跟母亲要了钱，将一张张一百日元纸币用美浓纸[1]包好，做成一个个的纸包，并写上“谨表歉意”的字样。

首先去了村公所。因村长藤田先生不在，我就把纸包交给了传达室的姑娘，并致了歉意：

“昨夜对不起了。今后我一定小心，请多多原谅！请代向

---

1 美浓纸：美浓为旧诸侯国名，现岐阜县南部；美浓纸，即美浓地方出产的纸，韧性强，适合做封皮、拉窗、隔扇等。

村长致意！”

接下来，去警防团长大内先生家，大内先生来到门口，一看见我他脸上便显出悲悯的微笑，不知为什么我突然想哭。

“昨夜的事，请多多包涵！”

勉强说出这句话便匆匆告别，我哭了一路，脸上的妆弄得一塌糊涂，只好先回家洗了把脸重新化好妆，在玄关穿鞋正要出去，母亲走出来问道：“还要出去？”

“嗯。马上走呀。”我脸也不抬地答道。

“真辛苦你啦！”母亲慈爱地说。

受到母爱的激励，我这回一点没哭就把纸包全部送完了。

去区长[1]家时区长不在，他的儿媳出来一见到我，反而眼含热泪；在巡警那里，二宫巡警连说“太好了、太好了”。都是很亲切的人。最后又跑了左邻右舍，大家都对我们深表同情和安慰。只是挨了前院西山家媳妇——说是媳妇也是个年近四十岁的阿姨了——的一顿抢白：

“今后请你也得注意点呀！我不清楚你们是皇族还是什么族，不过，看着你们过家家玩一样地过日子，就一直提心吊胆地替你们捏一把汗。简直就像两个小孩过日子，原先没引起火灾反而怪了。今后真要小心啦！就说昨夜，丫头！要是刮大

1　区长：指市町村负责管理、处理特定区域的财产及公共设施等的职能人员。

风，全村早烧光啦！”

火灾当时，坡下农家中井先生等都跑到村长和二宫巡警面前，替我们说好话，表示“连小火警都不算”，可这位西山家的媳妇呢，却站在篱笆墙外大加指责，说什么：“洗澡间全烧光了！炉火管理马马虎虎造成的呀！”不过，我也体会到了西山家媳妇不满的真情实感，认为她说的没错，所以一点也不怨恨她。母亲虽然说了“柴火本来就是易燃品嘛！”来安慰我，但是，如果当时风大，说不定真会像西山家媳妇所说全村都被烧光了。真要那样，我就是以死谢罪也没用了呀。如果我死了，母亲恐怕也活不下去，而且还要给亡父脸上抹黑。虽然现在也不讲什么皇族、华族了，但我想要死也要死得体面，引起火灾谢罪而死，就是死了也不甘心啊。总之，要再长点心。

我从第二天开始就起劲地干农活了。农家中井家的姑娘常来帮我，我总感觉自上次引起火灾丢脸后，我的血似乎都有点变得黑红。在那以前，我心中栖息着蝮蛇，现在血色都变了，觉得自己越来越变成野性的村姑，同母亲在廊下织毛线也感到很憋闷，反而觉得下到田里挖土更轻松。

是不是这就叫作体力劳动？这样的力气活，对我来说并不是第一次。在战时我曾被征用，被迫当过打夯女工。现在，下田穿的胶底袜就是当时军队发的。所谓胶底袜，当时那可真是有生以来第一次穿，舒服得让人吃惊，穿着它到院子里一走，自己也明白了鸟兽光脚走路有多轻快，真是高兴得心中作痛。战争时期我的快乐记忆，只有那一桩。想来，战争真是个无聊的东西。

去年，什么都没有发生，
前年也是什么都没有发生，
大前年还是什么都没有发生。

这首有趣的诗登在战争结束后的一家报纸上，实在说，现在回想起来，一方面觉得诸事纷繁，另一方面又觉得一切皆空。我讨厌听、说对战争的回忆，尽管死了那么多人，但都是些陈芝麻烂谷子，陈腐且无聊。不过，是不是因为我太自我本位了呢？唯独被征用穿上胶底袜被迫打夯的事，我不觉得陈腐。虽然思想上也相当厌恶，但又多亏打夯，我的身体才变结实了。就连现在我都想过，要是生活越来越困难了，我就靠打夯活下去吧！

战局渐渐变得绝望起来的时候，一个穿着军装的男人来到西片町的家里，交给我一张征用通知书和劳动日程表。一看那张表，我从次日起就要隔天一次往返于我家和立川的山里之间，不由得凄然泪下。

"找人代替不行吗？"

我的眼泪像断了线的珠子不停地流下，最后变成了饮泣。

"是军方征用你，所以非本人去不可！"

那个男人回答的口气很强硬。

我下决心去了。

次日下雨，我们被命令在立川的山脚下排好队，先听军官训话。

"战争必胜！"他开头说了这句话，然后接着说：

"虽然战争必胜，但是，如果大家不服从军方命令，那么就会影响作战，带来冲绳那种结果。[1]希望你们做好让你们做的所有工作。另外，可能间谍也会潜入到这山里来，你们要互相提醒！你们大家现在起就要和士兵一样进入阵地工作，阵地的情况绝不许泄露，现提醒你们要切实注意！"

山中烟雨蒙蒙，近五百名队员男女混杂着站在雨中，聆听他的训话。队员里还混有国民学校的男女生，全都冻得哭丧着脸。雨水透过雨衣浸入外衣，不久就润湿了内衣。

那天干了一整天用网篮挑运土石的活，回家的电车上我泪流不止。而第二次是牵拉夯绳，这个工作我最感兴趣了。

在去山里两三回的过程中，国民学校的男生们开始盯着我看，非常讨厌。一天，我正在抬网篮，两三个男生和我擦肩而过。

---

1 1945年4月到6月的冲绳战役以日军大败告终，是美日两军在太平洋岛屿作战中规模最大的，也是最后一次战役。美军占领冲绳后，打开了日本的门户，达到了为进攻日本本土建立战略基地的目的。一个多月后，日本宣布投降。

“那家伙是不是间谍?”

我听到其中一个小声说了这句话。

“不知为什么他说那种话?”我问和我并排抬网篮的年轻姑娘。

“可能是你长得像外国人吧。”年轻姑娘认真地答道。

“你也认为我是间谍?”

“不。”

“我是日本人呀!”

我这样说了一句自己都不由感到荒唐的废话，所以偷偷地笑了。

一个风和日丽的日子，我从早晨起就和男人们一起搬圆木，这时，监督的军官指着我命令道：

“喂！你！你到这边来!”说完快步向松林方向走去。

因为不安和恐惧，我心里敲着鼓跟在他后边，原来林子深处堆着刚刚运来的木板，军官走到那前边就站住了，露出雪白的牙齿笑着说：

“每天很苦吧，今天就请你看守这堆木材了!”

“就站在这里是吗?”

“这里又凉快又安静，你也可以在这些板子上睡个午觉什么的，如果无聊，这本书虽然你也许看过了，不过……”他从上衣口袋里掏出一本小小的文库本，不好意思地丢到木板上，“这种东西，请你也读一读!”

文库本封皮上印着书名：三驾马车[1]。

我拿起那个文库本说：

“谢谢了！我家也有个爱看书的，现在在南方。”

看样子他是误会了，说道：“啊！原来这样！是你丈夫吧？在南方，那可苦得很啊！”他摇了摇头，关切地说：“总之，今天你就在这里看守木头，你的便当回头我会给你拿来，你好好休息吧！”

他丢下这句话就快步走掉了。

我坐在木材上读文库本，差不多读了一半的时候，那位军官伴着噔噔的皮靴声来了。

“我把便当拿来了，你一个人无聊吧？”

他说完这句话，把便当放在木材上又急匆匆地走了。

我吃完了便当，这回爬到木板上躺下身来看书，看完这本书后就迷迷糊糊地瞌睡起来。

醒来时已经是下午三点多了。我猛然感到好像以前在什么地方见过那位军官，但想了半天也没有想起来。我从木板上下来正在梳理头发，又听见皮靴的噔噔声。

1　三驾马车：原文作“トロイカ”。俄语“Тро́йк”的音译。关于该书名，研究者看法不一。据日本《现代日本文学馆36 太宰治》（文艺春秋，1967年）卷末注解，认为指俄国作家尼格莱·特雷肖夫（1867—1957）《在三驾马车上》一书。而高本条治氏论文（载《上越教育大学研究纪要》，第1卷第1号，平成十三年十月），则据太宰和《斜阳》素材“太田静子日记”作者静子的关系，提出不同观点供读者参考：一、该名字的书存在，但不出名，对此太宰和静子之间有默契；二、该书不存在，可能是太宰和静子之间默契的隐语，比如可能指契诃夫的《三姊妹》；三、不管此书存在与否，上述二人之间存在默契共识。

“啊呀！今天辛苦啦！你已经可以回家了。”

我跑向那位军官，将文库本递给他想表示感谢，却什么话也没有说出来，只是默默地仰视军官的脸，两人视线相遇时，我的眼里滚下了大颗泪珠。这时，那位军官的眼里也泪光闪闪了。

就这样默默地和他告别了，其后，那位军官一次也没有在我们劳动的地方出现过。我呢，也就唯独那一天算是玩乐一整天，接着就依然在立川的山上干苦力。母亲不断担心我的身体，我呢，反而变结实了。现在变成了不仅成了打夯这门技术活的内行，而且是对农活也不大感到苦累的女人了。

虽然我嘴上说讨厌听、说有关战争的事，但是一不小心却写起了自己关于战争的“宝贵经历”。不过，在我对战争的追忆之中，大约也就是这么点事，其余就正像那首诗所说：

> 去年，什么都没有发生，
> 前年也是什么都没有发生，
> 大前年还是什么都没有发生。

只有荒唐、空虚，只剩下一双胶底袜留在我身上。

由胶底袜一下子写起了废话，离题太远了。但是，我穿着可谓战争唯一纪念品的胶底袜每天下田劳动，倒也排遣了心底的不安和焦躁。而那阵子母亲看起来却日渐衰弱。

蛇蛋。

火灾。

那时，母亲已经明显地现出病态。而我却截然相反，感觉自己正在逐渐变成粗野、庸俗的女人。我正在从母亲那里吸取元气一天天肥胖下去——这种感觉万分强烈。

失火时，母亲还笑谈“柴火本来就是易燃品嘛!”，其后也从没提过一句火灾的事，然而，母亲内心所受打击一定比我重十倍。火灾后，母亲时而在夜里呻吟，而深夜风大时，母亲就装作上厕所，实际上多次起来在家中各处巡看。就这样，脸色总是灰蒙蒙的，有时看样子就连走路也只能勉强支撑。本来她说过要帮我干农活，我也说过一次“您就算了吧!”，但她还是坚持从井里用大桶提五六次水，累得第二天说是肩膀疼得几乎不敢喘气，整整躺了一天。那件事后，看来她对干农活断了念头，有时就是再来田里，也只是目不转睛地看着我干活。

“说是喜欢夏天花的人会死在夏天，不知真假?”

母亲今天在看着我劳动时冷不丁冒出这样一句话，我在默默地给茄秧浇水。啊，经她一说，现在可不就是初夏么!

“我喜欢合欢树的花，但这院子里一棵都没有啊!”母亲又幽幽地说。

“不是有很多夹竹桃吗?”我故意语气平缓地说道。

“那个我讨厌啊。夏天的花十有八九我都喜欢，而夹竹桃太轻佻妖艳。”

“我喜欢蔷薇。不过它是四季开花，所以，喜欢蔷薇的人，那就要春夏秋冬来回死四回了？”

两人都笑了。

“不休息一会？”母亲还是笑容可掬地说，“今天我是有事要与和子你商量的呀！”

“什么事啊？要还是说什么要死要活的话，我可听够了。”

我跟在母亲身后，走到藤架下长椅那和母亲并排坐下。藤花已经开败，柔和的日光透过树叶斑驳地射到我们的膝盖上，把膝盖染成绿色。

“以前我就一直想告诉你，不过，是想等两人心情都好的时候，所以呀，等机会一直等到今天。反正不是什么好事。不过今天我感觉好像能一吐为快，唉，你呢，就耐着性子听完吧！其实呢，直治还活着呢！”

我感觉身体僵住了。

“五六天前，你和田舅舅来信了，说是以前在你舅舅公司干过的一个人从南方回来，来看望你舅舅。是当时聊天聊到最后你舅舅知道的，那人碰巧和直治在同一部队，说是直治平安无事，而且不久就要回来了。不过呢，有个事很烦人哪！据那人讲，直治鸦片成瘾好像已经相当严重……”

“又抽上了？！”

我好像吃了黄连嘴巴都歪扭了。直治读高中时，模仿某个小说家有了毒瘾，为此欠下了药店一大笔债，母亲花了两年时间才把那笔钱还上。

“是的。好像又抽上啦！不过，要是那个鸦片瘾不戒掉，不会允许他回来的吧？据那人说，会戒掉后回来。你舅舅信上说，即便戒掉了回来，他那种品性恐怕也不能马上就到什么单位工作。要是在眼下混乱的东京工作，就是好人也得半疯，更何况刚刚戒掉鸦片的半个病人，还不得立刻发疯，天知道能干出什么事来。所以，你舅舅说直治要是回来，马上就把他领回伊豆，哪里也不放他去，在这里静养一个时期为妥。这是一个事。另外，我说和子呀！舅舅呢，还吩咐了一件事呢，据你舅舅说，我们的钱已经分文不剩了。说是又是储蓄冻结，又是什么财产税，再像以前那样给我们汇钱，舅舅也嫌麻烦了。所以呀，直治回来，舅舅要为妈妈我、和子和直治三人筹措生活费，会相当辛苦。因此，和子呢，趁现在要么找个人家嫁了，要么找个事情干，两项总要选一项——反正，这就是你舅舅的吩咐。”

“找事情干？出去当女佣？”

“不是。你舅舅呀，那什么，那个，驹场[1]的，”母亲举出某个皇族的名字，“你舅舅说，那个皇族家和我家还有血缘关系呢，就是去帮忙，还兼当他家小姐的家教，这样你也就不会太寂寞无聊了。”

---

1 驹场：东京都目黑区北端地区，东京大学教养学部所在地，称驹场校区。

“没有其他能就职的工作吗？”

“你舅舅说，其他职业和子可能做不来。”

“为什么做不来？说呀！为什么做不来啊？”

母亲只是凄然地笑笑，什么也没有回答。

“我讨厌那种话！”

就连自己也觉得说话严重走板，但并没有打住。

“我穿着这样的胶底袜，这样的胶底袜！”

说着，我泪流满面。我扬起脸用手背擦眼泪，明明心里对自己说，不能这样，不能这样，但我的话却似乎无意识地、跟我的肉体毫无关系似的从嘴里连珠炮似的向母亲狂轰滥炸：

“有一次您不是说过了吗！因为有和子，有和子陪伴您，妈妈您才来伊豆的呀！您不是说过没有和子您就没法活吗？所以，就因为那个，和子我才一门心思地哪也不去，就待在妈妈身旁，就这样穿着胶底袜给妈妈种出好吃的菜。听说直治要回来就突然嫌我碍眼，打发我去皇族家做女仆，太过分啦！太过分啦！”

自己心里也明知话说过头了，但语言却像另外的活物一样，无论如何也停不下来：

“穷了，没钱了，不是可以卖我们的衣物吗？这个山庄不是也可以卖掉吗？我什么都能干呀！这村里村公所的女事务员我也能当啊！村公所不要我，我还可以打夯啊！穷，有什么可怕的！只要妈妈疼我，我就一辈子一门心思待在妈妈身边，可妈妈不疼我而更疼直治。走！我走就是了！反正我老早就跟直治性格不合，三个人一起生活对三人都是不幸啊！我以前与妈妈两人长期生活过了，已没什么遗憾。今后直治和妈妈两个人过日子，没有外人掺和，但愿直治能好好孝敬妈妈。我已经厌倦了，厌倦了至今为止的生活。我走！从今天开始我即刻走。我有地方可去的！”

我站起身来。

“和子！”

母亲厉声喊了我一声，脸上充满了我未曾见过的威严，她唰地站起来面对着我。看起来个子比我还高一点。

我虽然马上想说“对不起”，但这句话却怎么也说不出口，另外的话反而冲口而出：

“骗人呀！妈妈骗了我呀！直治回家之前利用了我呀！我就是妈妈的女佣，任务完成了，就要我到皇族家去！”

我哇的一声哭出来，站在那里恸哭不止。

“你真是个傻蛋哪！”母亲低沉的声音因震怒而发颤。

我扬起脸，又顺嘴说了一些荒唐而不讲理的话：

“是啊！因为我傻，所以才受骗呀！因为我傻，所以才被当成拖累呀！没了我就好了吧？穷怎么了？钱算什么？我不懂啊！爱，母爱，我是只相信这一点活过来的。”

母亲突然转过脸去，她在哭。我想扑到母亲身上说声“对不起”，但无意中留意到自己因刚才干农活的手很脏，就故意佯装不知：

“只要我不在了就好了吧？我走！我有地方去！”

我丢下这句话就跑向洗澡间，一边哭一边洗脸和手脚，然后进屋换上了西装。换衣服时我又放声大哭起来，心里想着要哭个够，便跑到二楼西式房间用毯子蒙上头，哭得韶华全消，面目皆非，不久似乎神志不清，逐渐强烈地怀念起一个人来，非常想跟他见面听他声音，那种怪异的心情恰似用艾条灸烤双脚脚心，又热又一动不动地忍受着一样。

近傍晚时，母亲悄悄来到二楼西式房间，“啪”一声开了灯，然后走近床铺亲切地叫了我一声：

“和子！”

“嗯。”

我爬起来坐在床上用双手拢了拢头发，看着母亲的脸呵呵地笑了。

母亲也微微笑着，坐下把身体深深埋在床边的沙发里说道：

“我生来第一次没有听你和田舅舅的吩咐……妈妈我呀，刚才给你舅舅写信了。写的是‘我的孩子们的事你就任凭我自己处理吧’。和子，咱们卖衣物吧！多多卖两个人的衣物，痛痛快快地挥霍，过奢侈的日子吧！我已经不想让你干农活，就是买昂贵的蔬菜有什么关系嘛！那样每天干农活你是干不来的。”

实际上，我也开始觉得每天干农活有点苦了。刚才那顿疯狂的哭闹就是因为干农活的疲劳和悲伤交织在一起，对所有一切都感到怨恨和厌烦的发泄。

我在床上低着头，沉默不语。

“和子！”

“嗯。”

“你说你‘有地方去’，是哪里？”

我意识到自己羞得脖颈都红了。

“细田先生？”

我没吭声。

母亲深深叹了口气。

“说说往事行吗？”

“请！”我小声说。

“你从山木先生家回到西片町娘家时，记得妈妈没有责备过你什么。不过，只有一句话，说了‘你辜负了妈妈我！’，还记得吗？当时，你哭了……我虽然觉得使用‘辜负’这个词有点过分，不过……”

但是，母亲当时那样说我，我是因为感激、高兴才哭的。

“妈妈我呀，之所以说你辜负，不是因为你离开山木先生家，而是因为听山木先生告诉我‘其实和子原来是和细田相好’。听到这个事，我感觉我脸色都变了。细田先生老早就既有夫人又有孩子，你就是再爱慕他，也是无可奈何的事情……”

“说什么‘相好’？太过分了！那只不过是山木先生的主观臆断呀！”

“也许吧。你不会还在想着那个细田先生吧？‘有地方去’，是哪里？”

“不是什么细田先生那里啊！”

“是吗？那么，是哪里？”

“妈妈，我呀，前几天想到的，人类和其他动物完全不同的地方是什么？语言、智慧、思考、社会秩序，尽管有程度的差别，但其他动物也都有吧？说不定还有信仰呢。人类作为万物之灵虽然张狂得很，但似乎和其他动物没有本质的差别吧？然而呀，妈妈，只有一点啊，您不知道吧，其他生物绝对没有，只有人类有的，那个呀，就是秘密这种东西呀。您说呢？”

母亲的脸带上了几分红晕，笑得很优雅：

“啊！和子那个秘密要是能结个好的果实倒也不错……妈妈我每天早晨都祈求爸爸赐给和子幸福呢！”

我的脑中猛然浮现出同父亲在那须野开车兜风，中途下车时野外的秋景。胡枝子、红瞿麦、龙胆、黄花龙芽等野花盛开，野葡萄还处于青涩阶段。

下车后，和父亲在琵琶湖坐上摩托艇，我跳进水里，栖息在水藻中的小鱼撞到我的腿，湖底清晰地映出我晃动的腿影。这些镜头支离破碎地在我脑中时隐时现。

我从床上下来抱住母亲的膝盖，才得以说出：

“妈妈，刚才对不起啦！”

想来，那几天就是我们母女幸福的最后余烬。其后，直治从南方回来了，我们真正的地狱生活开始了。

三

心中无底，已经无论如何也活不下去了。这就是那种叫作“不安”的情绪吗？心中的痛苦巨浪般打来，正像傍晚的骤雨过后一朵朵白云接二连三地飞过，一松一紧地压迫着我的心房。我的脉搏停滞了，呼吸变得困难，眼前一片模糊什么都看不清楚，全身力气似乎都从手指尖泄了一般，就连毛线活也织不下去了。

近些日子阴雨连绵，做什么都没劲。今天，我把藤椅搬到客厅前面靠窗的地方，想继续编织今春织了一半的毛衣。毛线是淡红色的，有些灰突突的，我打算再添些天蓝色毛线织成一件毛衣。说来，那淡红色毛线还是二十年前我读初等科[1]时，母亲给我织围脖用的。那围脖的一端是个兜帽，我戴在头上一照镜子，简直就像小丑一样。再加上颜色和同学们围脖的颜色大相径庭，所以我特别讨厌这个围脖。虽然一位关西的纳税大户家同学夸奖说“你这围脖真好看！”，但我却越发感到难为

1 初等科：这里指小学教育阶段。

情，其后就一次也没有围过，一直把它丢在一边。今春我本想废物利用，想将它拆了给自己织毛衣才开始动手的，可是对这个颜色实在是不中意，所以就又丢在一边了。今日百无聊赖，偶然取出慢吞吞地继续编织起来。织着织着，发觉这淡红色毛线与灰色的雨天天空融为一体，变成妙不可言的柔美色调。原来是我孤陋，不晓得服装要考虑和天空颜色的调和。我有几分吃惊，甚至愕然，想到色彩的所谓“调和”是多么美丽而优雅啊！将灰色的雨天天空和淡红色的毛线搭配起来，两者同时都生动起来，好奇怪。拿在手中的毛线骤然变得暖烘烘的，冰冷的雨天天空也感觉像天鹅绒般柔软起来。我不由得想起莫奈画里雾中的寺院。我感觉我是从这个毛线的颜色才明白了什么叫“好”。母亲十分清楚淡红色与下雪的冬日天空搭配是多么优美别致的调和，才特意为我挑选的颜色，而不懂审美的我却愚蠢地对如此“高雅的情趣”表示讨厌。尽管如此，母亲并没想强迫还是个孩子的我，而是由着我的脾气将它放置一边，在直到我真正理解这个颜色的美为止的二十年里，从没对我解释过这个颜色，而是佯装不知默默地等待我觉悟。我深切地体会到我的母亲有多好，同时，内心陡然生出一团恐怖和担忧的阴翳：这么好的母亲会不会被我和直治折磨得不久于人世啊？越是思前想后越是对前景感到恐怖，预想到前面会厄运连连，担忧到几乎痛不欲生，于是，手指尖也泄了劲，将编织针放在膝上深深叹了口气，仰头闭眼不禁叫了一声：

“妈妈！”

母亲凭靠在客厅角落的茶几旁似乎在读书，她不解地答应了一声：“嗯？”

我一下子不知所措，就故意大声说：“蔷薇终于开花啦！妈妈您知道吗？我刚刚发现的。终于开啦！”

这是紧贴客厅前窗的蔷薇，是和田舅舅带回来的，从法国还是英国我记不清了，但总之是从老远的地方带回，两三个月前将其移栽到这个山庄院子里的。我清楚地知道，今早它总算开了一朵花，我是为了掩饰刚才的尴尬，才像刚发现似的夸张地嚷嚷起来。花，是深紫色，带有一种威严的傲气和强韧。

“我知道。”母亲静静地说，“那种事在你好像是一桩大事啊！”

“也许吧，可怜吗？”

“不，我只是说你身上有这个特点。在厨房的火柴盒上贴雷诺阿的画呀，给布娃娃做围巾呀，你喜欢做这样的事呀！而且，听你的话头，院子里的蔷薇简直就成了活人一样。”

“因为没孩子嘛！”

连自己也没料想到的话脱口而出。一旦说出口我也一愣神，不好意思地玩弄着膝盖上的毛线活，这时——

“都二十九岁啦！”

我好像分明听到一个男人这样说，那是一种撩人的男低音，就像在电话里说话一样。因为害羞，我感到脸颊烧得滚烫。

母亲什么也没说，继续读书。母亲从前些日子开始就戴上了纱布口罩，或许是这个原因，近日变得沉默寡言。那口罩是按照直治的嘱咐戴上的。直治是十天前脸色铁青地从南方岛屿回来的。

毫无任何事前预告，在那个夏天的黄昏，他从木头后门走进了院子。

“哇！太离谱了！这家人家品位真差。最好再挂个牌子写上‘来来轩，有烧卖出售’呀！”

这就是直治跟我重逢时的问候。

在两三天前，母亲因舌头害病卧床来着。舌尖从外表看没有任何变化，但说是舌头一活动就疼得不得了，吃饭也只能喝一点稀粥，劝她请医生给看看，她摇摇头苦笑着说：

“要被人笑话的。”

给她涂了碘酊但好像毫无效果，我就格外地焦躁起来。

这个当口，直治回来了。

直治坐在母亲枕边，说了句“我回来了！”，鞠了个躬，马上站起身来四处转悠，审视这个小小家中的一切。

我跟在他身后问道：

“怎么样？妈妈变了吗？”

“变了，变了。憔悴了。不如早些死去的。这种世道，妈妈那样的人是没法活的。太惨，看不下去！”

"我呢？"

"变得粗俗不堪！从脸上看好像有两三个男人。有酒吗？今晚我要喝！"

我跑到村里唯一的那家旅店拜托老板娘阿咲说："我弟弟回来了，请匀给我一点酒。"可是阿咲说现在不巧断货。我回家告诉直治，直治一脸陌生的表情，说了句："切！不会说话才买不来。"然后问了我旅店位置，穿上室外用木屐跑出院子，就这样一去不返了。我做了直治爱吃的油煎苹果片，又做了鸡蛋料理，并把饭厅的灯泡换成大度数的，等了相当长时间他也没回来。这时，阿咲从厨房门伸进头来：

"喂！喂！没问题吗？他在喝烧酒……"阿咲瞪大那双鲤鱼眼一样的圆眼睛，如临大敌般地低声问道。

"你说'烧酒'，是那种甲醇吗？"

"不是，倒也不是甲醇……"

"喝了不会得病吧？"

"嗯，不过……"

"那你就让他喝吧！"

阿咲欲言又止地点了点头回去了。

我到母亲那里说：

"说是在阿咲那里喝酒呢！"

我一说，母亲歪扭着嘴巴笑了：

"对。说不定鸦片已经戒了。你赶紧把饭吃完。还有，今夜三个人都在这屋睡。把直治的被褥放到中间。”

我真想大哭一场。

夜深了，直治脚步沉重地回来了。我们三个人在客厅的一顶蚊帐里睡了。

“你把南方的事讲给妈妈听听如何？”我躺着对直治说。

“没有任何可讲的，什么都没有，全忘啦！到了日本坐上火车，从车窗看到外面的水田很美，仅此而已。关灯！开着灯睡不着。”

我关了灯。整个蚊帐里，洪水般充盈着夏夜的月光。

次日早晨，直治趴在被窝里，一边吸烟一边遥望着大海：

“说是您舌头疼？”他用刚知道似的口吻询问母亲病情。

母亲只是微微一笑。

“那种现象呀，肯定是心理作用。夜里，是张着嘴睡的吧？多不卫生！要戴口罩！把利凡诺溶液浸在纱布上，把它塞进口罩里边就行了。”

听了这话我忍不住笑起来：

“你这叫什么疗法呀？”

“叫美学疗法。”

“可是，妈妈一定很讨厌戴口罩的呀！”

不仅限于口罩，就是眼罩、眼镜之类凡是往脸上戴的东西，按说母亲是一概顶讨厌的。

“我说，妈妈，您戴口罩吗？”我问道。

“我戴的。”

母亲一本正经地小声回答。我吃了一惊。似乎只要是直治说的，她都深信不疑照章执行。

早饭后，我按照直治说的，把利凡诺溶液浸在纱布上做成了口罩，拿到母亲那里，母亲默默地接过来，躺着身子将口罩带子老老实实地往双耳上一挂就戴上了。那模样就像个天真的小女孩，我不由得一阵心酸。

过午，直治说要见东京的朋友和文学老师等等，换上西装，跟母亲要了两千日元去东京了。这一去就没有回来，已经差不多十天了。就这样，母亲每天戴着口罩等待直治。

“利凡诺，好药啊！戴上这个口罩，舌头的疼痛就消失了呀！”她笑着说。

可我尤其觉得母亲在说谎。虽然母亲说是已经好了，从床上起来了，但依然没什么食欲，说话明显减少，我实在是担心。我心里惦念着，直治在东京做什么呢？一定和那个什么小说家上原先生玩遍整个东京，最后被卷进东京那疯狂的旋涡里了。我越想心里越难受，这才突如其来地向母亲报告蔷薇开花的事，又顺嘴说出什么自己“没孩子呀！”这种连自己也没想到的古怪话题。不能自持的感觉越演越烈，我“啊！”一声站起身来。无处可去，不知要置身何处、意欲何为，我迷迷糊糊地上了楼梯，来到了二楼的西式房间。

这里现在算是直治的房间了，四五天前我和母亲商量，请坡下农家中井先生帮忙，把直治的西装衣橱、桌子、书箱，还有五六个装满藏书、笔记等的木箱，总之就是在西片町的家里直治房间里的所有东西，一股脑搬进这个房间。因考虑到直治回家后要按自己喜欢的位置来摆放，所以，就暂时胡乱堆放在屋子里，搞得屋内乱七八糟，连落脚的地方都没有。我无意中拾起脚下木箱里的一本笔记一看，封皮上写着：

《夕颜[1]日志》

里边密密麻麻，杂乱无章地写着如下的内容。似乎是直治因毒品中毒而煎熬那期间的手稿。

烧死的感觉。即便苦也不能叫喊一言半语，不要掩饰这种空前的、有人世以来无先例的、深不见底的地狱氛围。

思想？扯谎。主义？扯谎。理想？扯谎。秩序？扯谎。诚实？真理？纯粹？通通是扯谎。牛岛[2]的藤称有千年树龄，熊野[3]的藤称有几百年，听说前者花穗长九尺，后者长五尺，我的心只为那花穗跃动。

那也是人类之子，在活着。

---

1 夕颜：本意是葫芦花，因黄昏时开花而得名。

2 牛岛：日本埼玉县春日部市地名，当地“藤花园”有相传一千二百年前弘法大师亲手种植的紫藤萝，1928年被文部省命名为“牛岛之藤”，指定为天然纪念物。

3 熊野：位于静冈县盘田市，该地的丰田熊野纪念公园每年有“熊野长藤节”。

理论法则逻辑，终归是人们对这个概念本身的爱，并非是对活人的爱。

一旦遭遇金钱和女人，这些概念便羞涩地退避三舍。

历史、哲学、教育、宗教、法律、政治、经济、社会，与这些学问相比，一个处女的微笑更加尊贵，浮士德博士[1]对此做了勇敢的实证。

所谓学问，是虚荣的别名，是人类试图使自己变异成非人类所作的努力。

对歌德本人我也可以发誓，我能写得要多好有多好。布局谋篇完美无瑕再加一些适当的幽默诙谐，写出能在读者眼底打出烙印的悲哀；抑或是写出庄严肃穆、使人不由得肃然起敬的完美小说。然而，这不是成了电影里朗朗上口的旁白了吗？我怎么能写这种使人羞愧难当的东西？开头就怀着要写出杰作的想法，那是一种小儿科；读小说而肃然起敬，那是狂人之所为，倘若那样，是不是要干脆穿上正装——外褂和裙裤？越是好作品，越应该看不到装腔作势啊！正因为想看到朋友发自内心的快乐笑脸，我才故意把一篇小说写得糟糕、拙劣，还摔个屁股蹲，一边挠头一边溜之乎也。啊呀！要说那时朋友那兴高采烈的笑脸，那真是没比

1　浮士德博士：歌德小说《浮士德》里的主人公。

的了。

文不及意，风格刁钻，吹着玩具喇叭给你听，这里有全日本头号大傻瓜；你还算好的呀，愿你长寿——如此为你祈求的爱，究竟算什么呢？

朋友扬扬得意地抒发感怀：这是那小子的坏毛病，真可惜了。人家爱着他，他自己却不知道。

难道真有无劣迹的好人吗？

没劲。

需要钱。

否则，

就在睡梦中死去。

欠药店的钱已近千元，今天把当铺掌柜带到家里我的房间，让他看看房间里有什么可当的东西，告诉他要是有尽请拿去，急等用钱。掌柜的却连看也没怎么看就胡说什么："算了吧！又不是你个人的家具。"我就底气十足地说："那好，光拿以前我自己零钱买的东西，你拿走吧！"但我划拉到一起的一堆破烂一无长物，没一件能典当。

首先是一只手的石膏雕，这是维纳斯的右手。酷似大丽花的一只手，雪白的一只手，放在台子上。然而仔细一看，你就会读出维纳斯通过这只右手传达出的令人窒息的悲哀神情——在男人贪婪的目光下她为自己的一丝不挂而惊叫，羞耻感和凄惨的处境使她全身发烫变成淡红色并扭曲着身躯。那只手纯白而娇嫩，指尖上没有指纹，手掌上也没有手纹。然而，这是所谓不实用的破烂，掌柜的只给作价五角钱。

其他还有巴黎近郊的大幅地图，直径近一尺的大陀螺，特制的笔尖，能写出比丝线还细的字，都是我自己认为淘到了宝而买来的。掌柜的笑着说："那我就告辞了。"我让他等等，最后让掌柜的背走一大堆书，给了我五元。我书架上的书几乎都是廉价的文库本，而且还是从古旧书店买的，所以当铺给价自然如此低廉。

我要还钱千元，却只弄到五元。看来我在世间的实力大致如此，并非笑谈。

你说我是颓废派？然而，我不这样干就没法活呀！谴责我颓废，还不如让我去死，那样的人更难得，更干脆。可是，人是不会轻易说出"死"字的。吝啬成性，老谋深算的伪君子们啊！

正义？所谓阶级斗争的本质根本不在这里。人道？别开玩笑！我清楚啊！那就是为自己的幸福打倒对方，杀掉对方。那不是让对方死又是什么？不要唬人！

但是，我们阶级里没好货！全是白痴、幽灵、守财奴、狂犬、吹牛者、卖弄辞藻满口"ゴザイマスル"的假

斯文者、在云端小便一样事不关己高高挂起的伪善者。

给他们一句“死去吧!”他们都不值。

战争，日本的战争是自暴自弃。

我不愿意被卷入自暴自弃而死去。不，我宁可独自去死。

人扯谎时，必是一本正经的嘴脸。看看近来政要们那一本正经的嘴脸。呸!

我要和不想被尊敬的人一起玩。

但是，那些好人们根本不和我玩。

我假装早熟，人们就传说我早熟；我假装懒惰，人们就传说我懒惰；我假装写不了小说，人们就传说我写不了小说；我假装扯谎，人们就传说我是说谎者；我假装财主，人们又传说我是财主；我假装冷淡，人们便传说我冷若冰霜。当我真正苦恼不由得呻吟的时候，人们却传说我是假装的。

实在是阴错阳差。

其结果，我除了自杀别无出路。

当我想到如此苦闷却只能以自杀来了断的时候，我大放悲声地哭了。

春日的早晨，旭日照耀在两三朵梅花绽放的梅树枝头，说是一位海德堡[1]的年轻学生就吊死在那梅树纤细的枝丫上。

“妈妈！请您训斥我吧！”

“怎么个训斥法？”

“就骂我是个‘窝囊废’！”

“是吗？窝囊废……可以了吧？”

妈妈的善良真是无与伦比，一想到妈妈我就想哭。向妈妈谢罪，也是我想死的理由之一。

请宽恕我吧！现在，仅此一次，请宽恕我吧！

双目两茫茫，

年年岁岁不见光。

初生小仔鹤，

逐日长大心空荡，

1　海德堡：德国西南部城市，内卡河畔的文化古城和大学城，位于法兰克福南约八十公里处。

可悲可怜徒肥胖。（元旦试咏和歌）

吗啡 阿托罗莫尔 鸦片 潘特朋 帕比那尔 潘欧品 阿托品[1]

什么叫所谓自尊？自尊？

人，不，男人，他不觉得（老子是优秀的）（老子也有优点）焉能活下去？

讨厌人，也被人讨厌。

斗智。

严肃＝蠢

总之呀，因为活着嘛，必定在搞欺骗的呀。

一封青年请求借钱的信。

“请回音。

请给我回音。

盼望它一定须是佳音！

我设想了种种屈辱，独自在呻吟。

1　以上均为镇静、镇痛、麻醉等方面的药物或毒品。

不是在做戏，绝对不是。

求求您啦！

我将要因羞耻而死去，

不是夸张。

每天等着回信，昼夜浑身发抖。

不要让我扫兴。从墙壁传来窃笑声，深夜我在被窝里辗转反侧呢。

不要让我丢丑！

姐姐！”

看到这里，我合上那本《夕颜日志》送回木箱里，然后走到窗前将窗户大开，俯视着烟雨蒙蒙的院中，回想当时的情形。

已经六年了，直治染上毒瘾成了我离婚的原因。不，不要这样说。我认为就是没有直治的毒瘾，我也迟早要因为什么别的导火索离婚，这是从我出生的时候就注定了的。直治还不起药店的欠款，屡屡赖着我要钱，但我只是嫁到山木家的媳妇，不可能随便用钱，而且也觉得将婆家的钱偷偷拿给娘家弟弟不太地道；所以我就和随嫁来的老太婆阿关商量，卖掉了我的手镯、项链和连衣裙之类。弟弟给我来信要钱，信里说：“现在又羞又苦，怎么也没脸和姐姐照面，甚至连通电话也办不到。所以，钱呢，就请吩咐阿关送给小说家上原二郎先生，他住在京桥某町某巷的茅野公寓，按说姐姐也至少知道他的名字。世间传说上原先生是个缺德鬼，其实他根本不是那种人，请放心大胆把钱送到他处。这样，上原先生会立刻给我电话通知。务请这样办才好。我这次染毒唯独不想让妈妈知道，我是打算趁妈妈还不知道就把它戒掉。我还打算这次拿到姐姐的钱就把药店的欠账全部还清，然后到盐原别墅或是什么地方养好一个健康的身体再回家去的。真的。药店的欠账全部还清，我打算就从那天起把毒品断然戒掉。我向上帝发誓，请你相信我吧！求你对妈妈保密，打发阿关给茅野公寓的上原先生送去！”我按照他的交代让阿关把钱送给了公寓里的上原先生，可是弟弟的发誓总是谎话，并没有去什么盐原别墅，毒瘾反而变本加厉，又寄来要钱的信，口气也是近乎哀号一样的痛苦，而且发誓说这回一定戒掉，简直让人不忍卒读。于是，尽管我心里认为恐怕还是扯谎，但仍然拜托阿关把我的胸针卖掉，然后把钱送到上原先生的公寓。

“上原先生，是什么样的人？”

“是个小个子，脸色很差，简慢无礼。”阿关回答我，“不过他很少在公寓，多半只有他太太和一个六七岁光景的女孩两人在家。这个太太长得不太漂亮，不过很和蔼，好像很能干。因为是那样的人，我才敢放心大胆地把钱交给她。”

拿当时的我和现在的我比较，不，没有可比性，简直完全判若两人，那时的我是个悠闲度日的傻瓜。尽管如此，一次次地要钱已达到相当数额，就连我也渐渐忧虑起来。一天去看能剧回来，在银座把汽车打发走了，我独自去了京桥茅野公寓。

上原先生正在屋里看报。条纹布夹衣外面套着藏青底碎白花纹外褂，给我的第一印象特怪，既像老人，又像青年，有如一头从未见过的怪兽。

“我老婆刚刚和孩子一起领配给品去了。”他略带鼻音、断断续续地说。

似乎他把我误认成了他太太的朋友之类。我说我是直治的姐姐。他一听，“哼”一声笑了，使我不禁打了个寒战。

“是不是出去一下？”

他说着已经披上男用和服长披风，从木屐箱里拿出一双新木屐穿在脚上，然后率先走出公寓走廊。

外面是初冬的黄昏。冷风萧瑟，感觉是从隅田川那边吹来的河风。上原先生顶着河风默默地走着，右肩头有点端肩。我紧赶慢赶小跑着跟在后边。

走进了东京剧场后面大楼的地下室。这是个细长房间，有二十张席子大小，四五伙顾客分别围着各自的饭桌安静地喝着酒。

上原先生用杯子喝酒，给我也另拿了个杯子，并劝我也喝酒。我就用那个杯子喝了两杯，也没感觉怎么样。

上原先生喝着酒吸着烟，就那样一直没有说话。我也沉默着。到这种地方来，是我生平第一次，不过我感到很镇定，心绪很好。

“但愿能喝个酒什么的就好了。”

“咦?”

“不，我是说令弟。希望他能换成酒精呀！我从前也染过毒瘾，那玩意世人都怕，酒精也一样，不过世人对酒精倒是意外地网开一面。把令弟变成酒鬼吧！行吗?”

“我见过一次酒鬼。新年时我正要出门，家里司机的一个熟人坐在汽车的副驾驶席，脸红得像鬼一样在呼呼大睡。我大吃一惊喊叫起来，可我家司机说，这是酒鬼，没办法，把他从车上弄下来扛在肩上带走了。那人浑身好像没有骨头似的，尽管这样，嘴里还嘟嘟囔囔地说着什么。当时我算是第一次见识到酒鬼，很好玩。”

“我也是个酒鬼呀！”

“啊呀！可您和他们不一样吧?”

“即便你，也是酒鬼。”

“不可能。我见过酒鬼的，完全不一样。”

上原第一次开心地笑着说:“那么说，令弟也许不会变成酒鬼。总之，变成喝酒的人为好。走吧！天晚了你不方便吧?”

“不，没关系。”

“哪里！其实是我感到太憋闷啦！小大姐！买单！”

“这里贵得很吧？要是不太贵我倒是带着钱。”

“是吗？那就由你来买单。”

“说不定钱不够呢！”

我看了看钱包里面，告诉上原先生有多少钱。

“带那么多钱，再喝两三家都够了。蒙我哪！”上原先生皱了皱眉头，笑了。

“还到什么地方去喝吗？”

我问他时，他认真地摇了摇头：“不，已经够了。我给你叫出租车，请回家吧！”

我们走上地下室阴暗的楼梯，走在我前边的上原先生走到楼梯中段时猛然回头看我，然后飞快地吻了我，我就那样紧闭着嘴唇，接受了。

本来也不是什么喜欢上原先生，但从那时起，我身上就有了那个秘密。上原先生跑着上楼梯，我则心情出奇地畅快，一步步从容地走上去来到外面。河风吹拂着我的面颊，那感觉十分惬意。

上原先生给我叫了出租车，我们默默地分手了。

随着车子的颠簸，我突然感到世间好像大海一样辽阔了。

“我有了情人啊！”

这是有一天丈夫的抱怨让我很孤寂落寞，我冷不丁冒出的一句话。

“我知道。是细田吧？怎么也断不了吗？”

我沉默了。

那个问题，每逢发生什么不愉快的时候，便被提到我们夫妇之间。我想，这已经没救了。就像做连衣裙误剪了的布料，已经无法重新缝合恢复原状，必须全部作废再着手裁剪新的。

“你肚子里的孩子，该不会是……”

一天夜里，丈夫这样问我时，过度的恐惧使我浑身发抖。现在想来，我和丈夫都太年轻了。我不懂恋爱，甚至连什么是爱也不懂。我迷上了细田先生画的画，我对谁都扬言：当了那样人的太太，将能过多么美好的日子啊！如果不是和那么品位高雅的人结婚，那么，结婚就毫无意义。因此受到大家误解，尽管这样，我还是既不懂恋，也不懂爱，满不在乎地扬言我喜欢细田先生，并且也不想把那话收回。所以发生纠葛，就连睡在我肚子里的小宝宝也成了丈夫怀疑的对象，尽管谁也没有公开提出离婚，但不知不觉间周围人都洞若观火却佯装不知。待我和陪我的阿关一起回到娘家，接着婴儿出生后夭折而我一病不起后，同山木之间就再也没有了关系。

可能直治对我的离婚感到负有某种责任吧，他声言“不活了！”，号啕大哭，把脸都哭得一塌糊涂。我问弟弟欠药店多少钱，原来已达到非常可怕的天文数额。而且，日后才知道，直治不敢说实话，是扯了谎。后来弄清的数额几乎是弟弟告诉我数额的三倍。

“我见到上原先生了。是个好人呀！以后你就和上原先生一起喝酒一起玩，怎么样？酒当然也不便宜，不过区区这几个钱我可以随时给你。药店欠款嘛，也不用担心，总会有办法的呀！”

我见到上原先生，并说上原先生是个好人，看来弟弟对此特别高兴，当夜，弟弟就从我这拿了钱，立马就到上原先生那玩去了。

看来毒瘾也许是个精神方面的疾病。我夸奖上原先生，并从弟弟那借来上原先生的著书读，说“真了不起！”之类，尽管弟弟嘴里说“姐姐你懂啥”，但看样子非常高兴，还向我推荐上原先生另外的书，一来二去我也认真地读起上原先生的小说，与弟弟谈论起上原先生的种种情况。这一来，弟弟每晚都理直气壮地到上原先生那去玩，似乎渐渐地果真按照上原先生的计划转向了酒精。关于药店的欠账，我悄悄和母亲商量办法，母亲用单手捂住脸好半天一动不动。良久，她抬起头来惨然地笑笑说：“怎么想也是没辙呀！虽然不知要还几年，不过还是每月一点点地还吧！”

打那以后，已经六年了。

夕颜。啊！弟弟也苦啊！而且前路茫茫，他还不明白自己该干什么，恐怕只有每天往死里喝酒。

弟弟要是一狠心成了货真价实的坏人，怎么办？也许那样，他反而会轻松起来吧。

弟弟的手稿上写着：难道真有无劣迹的好人吗？那么一说，似乎我也有劣迹，舅舅也有劣迹，就连母亲也有劣迹。是不是所谓劣迹，就是指和蔼温柔呢？

四

这信，要不要写呢？怎么办啊？我好一阵犹豫。不过今早，猛然想起耶稣那句“如鸽子般坦率、如蛇一般顿悟”，便鬼使神差地来了劲，决定给您写信。我是直治的姐姐，也许您忘记了，如果忘记了，请在记忆中搜寻一下。

直治前些日子又开始打扰您，好像给您添了相当大的麻烦，实在对不起。（不过，我又觉得直治的事都是他的自由，由我来越分道歉似乎荒唐。）今天不是为直治的事，而是我自己有一事拜托。京桥的公寓遭难后您搬进了现在的住所，这些我都从直治那里听说了。我本来很想到您现在东京郊外的府上拜访，但因家母前段日子身体微恙，实难丢下母亲进京，故而决定给您写信。

今有一事相商。

我这个相商，若从以前《女大学》[1]的角度看，或许十

1 《女大学》：据传江户前期儒学家贝原益轩（1630—1714）著，宣扬女子修身、齐家等封建道德，为江户时代女子修养书。

分狡猾、龌龊，甚至是恶性犯罪。但是我，不，是我们，依目前情形已无论如何活不下去了，所以，打算将此情告诉弟弟直治在世上最尊敬的您，盼望您指点迷津。

我已不堪忍受现在的生活。远不是什么喜欢、讨厌，而是如此下去，我们一家三口已经活路全无了。

昨天我也是郁闷，全身发烫，呼吸困难，不知所措。过午，坡下农家的姑娘给我们背来了米。我呢，给了她双方讲好了的衣物。姑娘在饭厅和我相对而坐，边喝茶边用很现实的口吻问道：

“您靠变卖衣物还能支撑多久啊?”

“半年吧，或一年左右。”

我回答道，并用右手遮住自己的半个脸说：

“好困啊，困得不得了。”

“疲劳呗！是神经衰弱嗜睡症吧。”

“可能是。”

因为就要落泪，我脑中突然浮现出“现实主义”和“浪漫主义”两个词。我没有现实主义。当我想到如此是否还能活下去的时候，感到一股寒意袭遍全身。母亲是半个病人，好一阵坏一阵的；弟弟呢，如您所知是个患有心病的重病患者，在家时就是一天不缺地跑到附近旅馆兼餐馆买醉，每三天一次拿上变卖我们衣物的钱去东京。不过，使我痛苦的并不是这些，而是我分明预感到我自己的生命将会像尚未凋落就将腐烂的芭蕉叶，自然而然地就地腐烂下去，对此我感到惶惶不可终日。所以，我就是违背《女大学》的教诲也要逃离现在的生活。

于是，我决定请您指点。

我现在打算向母亲和弟弟摊牌。我早就爱上一个人，我想清楚地表明我未来准备作为他的情人来过日子。那位人士按说您也认识，他名字的罗马音标字头是M·C。以前我有了什么困难都想跑去找他，一直对他思念有加。

M·C和您一样有太太和孩子，另外似乎还有个比我年轻漂亮的女朋友。但我想的是除了去他那我别无活路。我虽然没有见过他太太，但也似乎是个亲切的好女人。一想到他太太，我就觉得自己是个可怕的女人。然而，我现在的生活将要更加可怕，我没法打消去依赖M·C的念头。我要“如鸽子般坦率、如蛇一般顿悟”地完成我的恋情。不过，母亲、弟弟，还有世间所有的人谁都不会对此持赞成态度。想到这我泪水涟涟。这是我生来第一次嘛！不知有没有办法让我在周围人的祝福下完成这段苦恋——我挖空心思，就像求解特别复杂的代数因式分解题一样，感到似乎某处有线索能将其三下五除二轻松解开——我又突然变得快活起来了。

关键是M·C那头怎么看我，想到这我又沮丧起来。说来我是不是个硬送上门……怎么说呢，又不能叫送货上门的老婆，那就算硬送上门的情人那种货色，所以，M·C那头要是高低不能接受，那也只好就此罢休。因此，我拜托您问一问那位人士。六年前的一天，我的心里出现了一条淡淡的彩虹，尽管这既不是恋也不是爱，但彩虹的色彩却越加分明。悬挂在傍晚骤雨后朗朗晴空的彩虹，转瞬间就化为乌有，而人心中的彩虹却绝难消退。

请您问一问那位人士吧！他真的怎么看我这个人？是真的把我也看成雨后晴空的彩虹吗？抑或是它早已消失殆尽？

倘若如此，那么我也必须毁掉我心中的彩虹。不过，不先毁掉我的生命，我心中的彩虹根本就无法毁掉。

祈盼回音。

上原二郎先生（我的契诃夫，My Chekhov M·C）

最近我一点点地肥胖起来。我认为，与其说我成了个动物式的女人，莫如说我活得像个人样了。这个夏天我只读了一篇劳伦斯[1]的小说。

因不见回音，我再写一信。您大概逐一看穿了我上次给您的信里充满了狡诈的毒蛇般的奸计。老实说，那封信

1 劳伦斯（David Herbert Lawrence，1885—1930）：英国小说家，有争议的长篇小说《查泰莱夫人的情人》的作者。

字里行间我都极尽狡诈之能事。其结果，您可能认为那不过是我需要金钱而想请您资助生计的一封信罢了。而且，我也对此不能否认。但是，如果仅仅是我个人需要资助，对不起，我还真不愿意特意找到您。我觉得在您以外还有很多疼爱我的老年财主。眼下就刚好有件打破常规的提亲。那位人士您也许知道，是个年过花甲的老头子，还是什么艺术院会员的大师级人物，他为了娶我来山庄求亲。因为这位大师是我们原来西片町房子的邻居，两人也因邻里之谊时而能见到。我记得有一次那是一个秋天的傍晚，我和母亲两人坐汽车经过那位大师家时，他独自呆呆地站在自家门旁，母亲从车窗里对那位大师点头致意，那位大师铁青色的脸顿时变得比霜叶还红了。

“是不是恋爱呀？”我打趣说，“他喜欢母亲啊！”

但母亲却沉静地自语道：

“哪里！人家是大人物。”

尊敬艺术家似乎是我家的家风。

说是那位大师几年前丧偶，通过和田舅舅的谣曲票友某皇亲人士介绍，向母亲为我提亲。母亲说，是不是由和子按照自己的想法直接给大师回封信？当时因我反对这门亲事，也没有往深里想就痛快地写上了“我眼下没有结婚打算”之类的话。

“谢绝，可以吧？”

“那还用问……我也觉得不合适。”

因当时大师住在轻井泽的别墅，我就把表示谢绝意思的信直接寄往那别墅。可是信寄走次日，大师本人却说是来伊豆路过，在根本不知道我回信内容的情况下贸然来山庄到我家造访。看来，所谓艺术家行事，不管多大年龄也不免孩子似的随心所欲。

因母亲身体不舒服，直接由我出面在中式房间里接待，我送上茶后说道：

“这个这个，我想，表态谢绝的信这会已经到轻井泽别墅了，我，是经过了深思熟虑的。”

“原来这样！”他忙说，一边还擦着汗，“不过，能不能请你再考虑考虑！我呢，跟你怎么说好呢？说来，也许不能给你精神上的幸福，不过，取而代之我能做到在物质上让你要多幸福有多幸福。仅此一点我要言明。啊呀，我倒是打开天窗说亮话了。”

“您所说的幸福，我不十分懂。可能我有点不知天高地厚，请您原谅吧！契诃夫在给妻子的信里写道：‘生个孩子！生个我们的孩子！’尼采随笔中也有一句话：‘让她为我生孩子的女人。’我，需要孩子。什么幸福，那玩意儿无所谓。虽然需要钱，但只要有了足以抚育孩子的钱就够了。”

大师笑得很诡异：“你真是个罕见的人啊！对任何人都

能实话实说。跟你这样的人在一起，说不定我的工作也会生出灵感来呢！”

他装腔作势地说，与其年龄不太相称。我当时也想道，如果我的力量真的能使如此了不起的艺术家在工作上返老还童，那一定不枉来人世一场。但我无论如何也无法想象自己被这位大师搂抱在床的姿态。

“我可以没有恋爱之心吗？”我笑着问道。

于是大师认真地说：

“女人，那是可以的。女人可以糊涂一点呀！”

“不过，我这样的女人没有恋爱之心，还是考虑不了结婚啊！我已经是个大人啦！来年三十岁。”

我这样说完，不由得想捂住自己的嘴。

三十岁。女人到二十九岁为止还残留着花样年华少女的芳香。但我突然想起从前读过的法国小说里的一句话——三十岁女人的身体，花样年华少女的芳香已荡然无存——于是感到一种无以忍受的怅惘。往窗外一看，大海沐浴着正午的阳光，散发着玻璃碎片般刺目的光芒。读那篇小说当时，我曾经不经意地肯定其观点，没把那当成一回事。对女人到三十岁就一切皆休的观点能无动于衷——我现在非常怀念那个时期。随着手链、项链、连衣裙、和服腰带一个个从我身上销声匿迹，恐怕我身上花样年华少女的芳香也渐渐消去了吧？穷酸的中年女人一个。啊！真讨厌。不过中年女人生活中也还是不乏女性生活的。近来，我明白了这一点。我记得英国人女教师在回国时曾对十九岁的我说过：

“你不要恋爱！如果你恋爱了将会遭到不幸！若要恋爱就等长大一点后再考虑。三十岁以后吧！”

但是，当时听她那样一说我愣住了。三十岁以后的事，对当时的我根本难以想象。

“听说你们打算卖这个山庄？”大师脸上带着戏弄人的刁钻，突然改变了话题问道。

我笑了，说：

“对不起，我想起了《樱桃园》[1]。您要买这山庄别墅吗？”

到底是大师，似乎敏感地察觉到了我的弦外之音，他不愉快地扭歪着嘴，一言不发。

某一位皇族想要这个别墅作自己的住所，用新币五十万元是买呀还是怎么样的，倒也确有其事，不过，后来不了了之了。似乎大师也听到了这个传闻吧，但可能觉得自己要是被当成《樱桃园》里的罗巴辛[2]可受不了，所

1 《樱桃园》：契诃夫的剧本，讲述俄国贵族坐吃山空最后不得不卖掉樱桃园，新兴资产阶级不等旧主人搬走就迫不及待地开始砍伐，展示了贵族的没落并被新兴资产阶级取代的历史过程。

2 罗巴辛：《樱桃园》里的商人和企业主，从经济利益出发废弃古老庄园，兴建别墅的新庄主。

以情绪一落千丈，又扯了几句闲话就回去了。

我现在并非求您当罗巴辛，这一点我要讲清楚。我只是请求您接受一个中年女人的硬性“送货上门”。

我第一次和您见面是六年前的事情了。那时，对您这个人一无所知，只是认为您是弟弟的老师，而且是个名声有几分不佳的老师。和您一起用水杯喝酒以后您不是玩了一个小小的恶作剧吗？然而，我没当回事。只是感觉怪怪的，似乎放下了包袱。本来我既不喜欢您，也不讨厌您，什么都不是。此期间，为了讨弟弟的欢心，就跟弟弟借来您写的书读，有时有兴趣，有时没兴趣，并不是个热心的读者，但六年间不知从什么时候起，您这个人像雾气一样渗入了我的心房。我突然清晰地忆起那个夜晚在地下室楼梯上我俩之间发生的事，感到那对我来说重要到能够决定我的命运，从而对您产生了爱慕之情。当我想到这也许就是恋爱，便觉得心中没底、无所依靠，而独自饮泣。您和其他男人完全不同。我并不是像小说《海鸥》[1]里的妮娜那样爱上了作家，我对小说家并不憧憬。您要是把我当成文学少女，那我就不知如何是好了。我希望和您生个

1 《海鸥》：俄国文学名著，四幕喜剧，契诃夫作于1896年，妮娜为此剧女主人公。剧本讲述了三对不满生活现状、渴望改变人生实现价值、最终却难以如愿的男女之间错综复杂的情感故事。青年作家特里勃列夫痛感“现代戏剧全是俗套和偏见”，写了个形式新颖的剧本，由他的一心想当演员的恋人妮娜主演，但这次演出因故中止。妮娜受不住诱惑，投入了名作家怀抱却很快被抛弃。其后妮娜经艰苦奋斗终于成长为优秀演员。而两年后，面对事业成功的妮娜，那位青年作家在绝望中自杀。

孩子。

在更早以前您还是独身、而我也没有嫁到山木家的时候，如果两人相遇结了婚，或许我不至于像现在这样困窘，不过现在我已经断了和您结婚的念头。把您的太太挤走，那等于可鄙的暴力，我是不愿意的。我就是做个小妾（我非常不愿意说出这个词，但即便叫情人，通俗地说也肯定就是个妾，所以，我干脆直截了当地说出）也没关系。不过，世间一般妾的生活似乎都不容易。“妾一般在没用了的时候都会被抛弃的，快到六十岁的时候，不管什么样的男人都会回到结发妻子那里。所以，唯独妾，不要去当！”我听到过西片町家里的老男仆和奶妈这样的规劝。不过，那是指世间一般的妾，至于我俩的情形我感觉是不同的。对您来说，我认为最重要的还是您的工作。而您喜欢我的话，二人和睦相处对工作也会有利吧？这样，您的太太也就会理解我们。虽然道理上有点强词夺理，不过我认为我的想法没有任何错误。

问题只是您的答复，是喜欢我，还是讨厌我？还是没感觉？我很害怕这个答复，但又必须得问。上封信里我也写了“硬性送货上门的情人”，这封信里又写了“硬性送货上门的中年女人”，现在我仔细想想，如果得不到您的答复，我再硬性送货上门也抓不到任何由头，那我就只能糊里糊涂地独自消瘦下去了。没有您的某种承诺是没用的。

我忽然想起来，您在小说里写了很多恋爱冒险的内容，被世间风传说您是大坏蛋，而实际上，您不过是个有常识的人。我呢，不懂什么叫常识，我认为只要能做到喜欢，那就是好生活。我想为您生孩子，无论怎样的情况，我也不想为他人生孩子。所以，我才和您商量。如果您明白了我的意思，那就请给我回信。请明确地告诉我您的想法！

雨过天晴，起风了。现在是下午三点。我马上去领配给的一级酒（六合[1]），把两个朗姆酒空瓶装进袋子，把这封信放进胸前衣袋里，再过十分钟就到坡下的村子。这个酒不给弟弟喝，留给和子我自己喝。每晚喝一杯。酒，真的须用水杯喝呀！

您不能到我们这来玩吗？

M·C先生

今天也是雨天。下着蒙蒙细雨。每天闭门不出专等您的回信，但等到今天还是杳无音信。您究竟在想什么呢？是不是我上封信里不该写那位大师的事？抑或是觉得我写那种求亲事是想激起您的竞争心理吗？不过，那次提亲往

1 合：日本容积单位，1/10升，1合约等于180.39立方厘米。

后就已经没有下文了。刚才还和母亲笑谈那件事了呢。母亲前一段说是舌头疼痛，经直治“美学疗法”的治疗，疼痛已经消失，近日精神好了不少。

刚才我正站在廊下，眺望着被风吹得打旋的蒙蒙细雨在猜您的想法时，饭厅那边传来了母亲招呼我的声音：

“牛奶煮好了，你来一下！”

“太冷了，煮得特别烫！”

我们在饭厅喝着冒热气的牛奶，谈论着不久前那位艺术大师。

“那个人和我，是不是根本就一点也不般配呀？”

母亲平静地说：“是不般配。”

“我呢，又任性，又不讨厌艺术家，再加上人家收入好像很多，如果和他结婚我觉得倒也可以嘛！可是，您觉得不行吗？”

母亲笑了：“和子，你这孩子真要命！明明是不行，上次你还和人家兴高采烈地谈了半天吧？真搞不懂你是怎么想的。”

“啊呀！可是很有趣嘛！我还想再多谈一会呢！我是不是教养太差呀？”

“不，你是有点黏糊，真是个黏膏药和子！”

母亲今天精神头很好。

而且，她看到我今天第一次梳得高高的发髻说：

“这种发型啊，应该是头发少的人梳才合适呀！你这个有点太张扬了，好像戴了个小金冠，不成功啊！”

“和子我好失望！可您以前不是说过和子脖子又白又漂亮，尽量不要遮起来的吗？”

“那话，我倒是记得。”

“我呢，只要是受到一点称赞，就一辈子也不会忘。记着才快乐嘛！”

“是不是上次那人称赞你什么了？”

“对呀！所以，我才黏糊的呀！说是跟我在一起有灵感，啊呀！真受不了。我虽然不讨厌艺术家，可对他那种装模作样假充正人君子的人，还是受不了啊！”

“直治的老师是个什么样的人啊？”

我打了个寒战。

“不太清楚，不过反正是直治的老师，好像是个贴了标签的无赖。”

“贴标签？”母亲神情欢快地念叨着，“这句话有趣。贴标签的话，不是反而更安全吗？就像猫仔脖子上挂着铃铛，可爱呀！不贴标签的无赖才更可怕。”

“也许吧。”

我那个高兴啊！感觉整个身体就像一缕轻烟飘上天空。您能理解我为什么高兴吗？您要是不理解……我可要揍您的呀！

真的，您能不能来这里玩一次？我要是吩咐直治把您带过来有点不自然，不合常理，还是您自己借着酒兴翩然而来为好，由直治带领固然不错，不过还是直治人在东京而不在家的时候您一个人来吧！因为要是有直治，您就要被直治独占，你们必定要到阿咲那里去喝酒而一去不返。我家好像世世代代都喜欢艺术家，说是一位名叫光琳[1]的画家就曾长期在京都我们家里住过，还给我家隔扇上画了很美的画呢。所以我想，母亲也一定很高兴您的来访。您可能要住在二楼的西式房间，别忘了关灯。我手持一只小蜡烛爬上黑咕隆咚的楼梯去找您，不行吗？还有点早吧！

我喜欢无赖，尤其喜欢贴标签的无赖。而且，我自己也想成为无赖。我觉得除此我别无活路。您是全日本首屈一指的贴标签的无赖吧？弟弟告诉我最近还有很多人万分憎恨您，恶毒攻击您，说您龌龊、下流，我反而因此更加喜欢您了。因为您不是别人，免不了会有很多情人，不过，不久您就会只喜欢我一个的吧？不知为什么，我这个念头特别强烈。那样，您就能每天和我一起过日子，每天愉快地工作了吧？人们从我小时候就对我说："跟你在一起会忘了疲劳。"大家都说我是个乖孩子，我从未让别人讨厌过。所以，我觉得您也不可能不喜欢我。

1 指尾形光琳（1658—1716），江户中期著名画家，主要画装饰画、金粉绘等。

直接见面好了。现在已经不需要什么回信，我想跟您见面。本来我直接去您东京的家里拜访最简单，但母亲是半个病人，我是护士兼女佣，片刻不能离开，实在不能前去拜访。求求您了，请来这里吧！我想看您一眼，一见面一切都迎刃而解了。请您看看我嘴角那细微皱纹吧！看一看记录着绝世悲苦的皱纹吧！我的脸应该比我的任何语言更能把我的心情告诉您。

上一封信里，我写了我心中的彩虹，那彩虹并不像萤火虫或者天上繁星那般高雅绚丽滟滟生光。倘若是那种遥远淡定的思念，我就能够把您渐渐忘怀而不至如此苦恼了。我心中的彩虹是一座烈焰的桥，那思念几乎把我的心灵烧焦。即便瘾君子断了毒品而苦苦寻求时的焦虑，也不会有如此熬煎。有时我觉得自己没错、行为正当，也有时又不由得不寒而栗，猛然觉得也许自己正要做傻事。我每每反思自己是不是疯了。不过，也有时冷静地运筹谋划。真的，请您来一次吧！什么时候都可以，我哪里也不去，随时恭候。请相信我吧！

再度见面时，如果您不愿意，可以明白地告诉我。我心中的火焰是您点起来的，也要您亲自来把它熄灭！靠我个人的力量是无论如何也办不到的。总之，只要见面，只要见面，我就得救了。要是在《万叶集》《源氏物语》时代，本来我说的这些话是不算什么的。我指的是我的希望——当您的爱妾，当您孩子的母亲。

如果有人嘲笑我这样的信，那人就是嘲笑女人争生存的努力，嘲笑女人的生命。我已经不堪忍受港湾里那浑浊得令人窒息的空气，港湾外面哪怕是有暴风雨，我也要扬帆远航。休憩的风帆无一例外都是污秽的。嘲笑我的人必定全是休憩的风帆，他们一无所能。

我是个棘手的女人吧？但在此问题上最苦恼的是我。对这个问题无关痛痒的旁观者，他们慵懒地停歇着自己的风帆大煞风景，却来对此品头论足，真是荒唐至极。我不需要听他们胡说什么我是某某思想，我没有思想，我从没靠什么思想什么哲学行动过。

我知道，受到尊敬、被世间看好的人们全是扯谎者，全是假正经。我不相信世间。唯有贴标签的无赖，才是我的自己人。贴标签的无赖——我想，我可以被吊在这个十字架上死去。即使有一万个人非难我，我也要跟他们理论，骂他们是“更危险的没贴标签的无赖”。

您明白了吗？

恋爱不需要理由，我讲道理讲太多了，又觉得我不过是跟弟弟鹦鹉学舌。只是等待您到来。我想再见您一面，仅此而已。

等待。啊！人的生活中有喜、怒、悲、恨种种情感，但这仅占人全部生活的百分之一，其余不全都是在等待中过活吗？我撕心裂肺地时刻等待着走廊里的脚步声，结果却是竹篮打水！啊！人的生活也太惨了，现状是大家都觉得假如没生来人世就好了，每天从早到晚都在渺茫地等待着什么，悲惨至极！而我则想为自己的生命，为人类，为这个世道而欢欣，觉得自己生来人世来对了。

难道羁绊人行动的道德不能摈弃吗？

M·C（不是My Chekhov[1]的缩写字头。我不是爱上了作家。My Children）

---

1 英文，为“我的契诃夫”之意。

五

今年夏天，我给某个男人写了三封信，但没有回音。因为觉得除此之外别无活路，我在三封信中敞开了我的心扉，以一种从海角崖头投身惊涛骇浪中的心情把信投入了邮筒，然而，却怎么等也不见回音。旁敲侧击地问弟弟直治，可据弟弟说那人似乎没有任何变化，依然是每晚到处痛饮杯中之物，专门炮制越发离经叛道的作品而被世人所鄙夷和厌恶，还劝说直治搞什么出版业。而直治居然劲头十足，请另外两三位小说家当顾问，还说是已找到了出资人云云。听直治的话头，我爱上的那个人身边的空气中，好像没有一丝一毫我的气味。我的感觉与其说是羞耻，莫如说是感到实际的世间和我心目中的世间的迥异，感到好像自己被抛弃，黄昏中孤立无援地站在秋天的荒野走投无路，有种空前的凄惶，难道这就是所谓失恋吗？如此枯立在荒野，其间天就全黑了，难道只剩下寒夜中坐以待毙一条路了吗？思及此，我便干号起来，双肩和前胸剧烈地抖动，几近窒息。

既然如此，我无论如何也要进京见见上原先生，我的风帆已经升起，船出港了。我不能坐以待毙，必须去想去的地方。就在我正做着进京思想准备的时候，母亲情况不妙了。

一整夜咳嗽得很厉害，一量体温，三十九度。

“是因为今天天冷的缘故吧！明天就好了。”她边咳嗽边小声地说。

我看怎么也不像普通的咳嗽，打定主意明天一定要把坡下村里的医生请来。

次日早晨，体温降到三十七度，咳也不太咳了，但我还是去了村医生那里，说了母亲最近骤然衰弱，昨夜一直高烧以及咳嗽也非同寻常等情况，恳请医生出诊。大夫说：“那我回头就过去。这是别人送的。”说着，从客厅角落的柜子上拿过三个梨给了我。过午，大夫穿着白底蓝花纹和服披着外褂出诊来了。他依惯例仔细地听诊和问诊之后，重新坐到我的面前说：

“不必担心，吃了药就会好的。”

我感到分外好笑，忍住笑问道：“要不要打针呀？”

大夫一本正经地说：“没那个必要吧？就是受了风寒，只要静养风就会跑掉吧。”

然而，母亲的高烧过了一周也没有消退，咳嗽倒是不咳了，但体温呢，早晨是三十七度七，傍晚时三十九度。大夫说是来看病过后第二天开始拉肚子休诊了，我去拿药，并告诉护士母亲情况不好，请她传达大夫，但大夫的答复还是“一般伤风感冒，没必要担心”，开了水药和散剂，交给了我。

直治依然经常在东京，已经有十多天没回来了。我心不落底，便给和田舅舅写了明信片，将母亲情况不好的消息告诉了他。

母亲高烧的第十天，村大夫说是拉肚子好了，来出诊了。

他细心地在母亲的胸部叩诊，然后喊道："明白了，明白了！”接着又重新坐到我的前面说，“找到高烧的原因了。左肺发生了浸润，不过，不必担心。高烧恐怕还要持续一段时间，不过只要静养就没问题。”

我有点将信将疑，但还是像溺水者抓住一根稻草似的，村大夫的诊断也让我松了口气。

大夫走后，我说："太好啦！妈妈，就是一小点浸润，一般人都会有的呀！只要把握住情绪，痊愈就没问题。今夏气候不正常，真是要命！我讨厌夏天，和子我连夏天的花都讨厌。”

母亲闭着眼睛笑了："都说是喜欢夏天花的人死在夏天，本以为我是不是也要死在这个夏天啊，可因为直治回来了，就活到秋天了。”

当我想到，那个德行的直治仍然是母亲活下去的精神支柱，我心里真不是滋味。

“尽管那样，夏天过去了，妈妈的最危险期也过去了呀！妈妈，院里胡枝子开花了，还有黄花龙芽、地榆、桔梗、黄背草、狗尾草。院子里已经一派秋色啦！到了十月，您肯定会退烧的。”

我祈盼着，但愿这闷热的九月残暑快点过去，到了菊花盛开、十月小阳春的日子连续不断的时候，母亲也一定会退烧而康复，我也就能和那人见面，我的计划也会像大朵的菊花一样骄傲地绽放。啊！但愿快点到十月，这样，母亲的高烧就会退去。

给和田舅舅发了明信片大约一周后，由于和田舅舅的斡旋，一位曾在宫中当过御医的三宅老先生带着女护士从东京来给我们看病了。老先生和亡父也有过交往，所以母亲非常高兴。加之老先生向来举止不大讲究礼貌、用词也不大文雅，看样子这一点又很对母亲的脾气，因此，那天两个人竟然把看病抛在一边聊得十分融洽。我呢，在厨房做布丁，并把它拿到客厅。这时似乎已看完病，老先生把听诊器项链一样地胡乱挂在胸前，坐在客厅廊下的藤椅上，悠闲地唠着家常：

“我们呀，也钻进摊车里站着吃乌冬面啦！哪管什么好吃不好吃。”

母亲若无其事地望着天花板听着他的谈话。

我放心地想道：原来不是什么大病啊！也就来了精神，突然向三宅先生问道：“怎么样啊？这个村的医生可说是左胸部有什么浸润……”

“哪里话，没问题！”他轻声地说。

“啊呀！太好啦！妈妈！”我发自内心微笑着招呼母亲，

“说是‘没问题’！”

这时，三宅先生从椅子上蓦地站起来去了中式房间。看着好像有事我便跟了过去。

老先生走到壁毯下站住了，说道：“听得到呼噜呼噜的啰音呐！”

“不是浸润吗？”

“不是。”

“支气管炎？”我早已热泪盈眶又问道。

“不是。”

结核！我不愿意这样想。要是肺炎、肺浸润、支气管炎之类，肯定可以用我的力量给她治好。但若是结核，啊！说不定就完了，我感觉自己脚下好像发生了地陷。

“那声音，是很不好的吗？听起来呼噜呼噜的？”心里一点底也没有，我开始啜泣了。

“左右两边都有。”

“可家母还很精神嘛！吃饭也说很香很香……”

“爱莫能助了。”

“您瞎说！是不是？没有的事吧？多吃黄油、鸡蛋、牛奶是不是就能好？只要身体增加了抵抗力就会退烧的吧？”

“嗯，什么都要多吃。”

“是吧？西红柿，每天也吃五个呢！”

“嗯，西红柿好。”

“那么，是不是就没问题了？病能好吧？”

“不过，下回发病也许就要了命呢！还是有点精神准备的好。”

世上有很多事无力回天，我有生以来第一次知道了这种绝望高墙的存在。

“还能活两年？三年？”我浑身发抖，小声地问道。

“不知道。总之，已经无计可施。”

就这样，三宅先生说当天已预定在伊豆的长冈温泉下榻，就和女护士一起走了。我送他们到大门外，然后没命地跑回屋坐到母亲枕边。刚刚若无其事地露出笑容，母亲便问道：

“大夫怎么说？”

“说是退了烧就没事了。”

“胸部的病呢？”

“也没什么大事。对了，跟过去的病没两样呀！肯定的。马上天就渐凉了，很快就会痊愈的。”

我试图相信自己的谎言，试图忘掉“要了命”那句可怕的话。我感觉母亲要是去世了我的肉体也会随之消失，根本无法想象那是真的。今后忘掉一切给母亲多多做好吃的吧！鱼，汤，猪肝，肉汁，西红柿，鸡蛋，牛奶，高汤，要是有豆腐就好了。豆腐酱汤，白米饭，年糕，把我的东西全部卖掉，买来所有美味的东西孝敬母亲吧！

我站起身来走到中式房间，把屋里的躺椅搬到客厅的窗前，坐在能看到母亲脸的地方。躺卧在床的母亲一点也不像病人，双眼澄明俏丽，脸色生气勃勃。每天清晨按时起床到洗脸台洗脸，然后在三张席子大小的洗澡间自己梳头，打扮停当后又回到床上，坐着吃饭，然后一会躺下一会起来地整个上午都是读书看报，仅仅在下午发烧。

——啊呀！母亲很有精神嘛！一定没问题！

我心里强烈地否定了三宅先生的诊断。

我心想母亲的病到十月菊花绽放时节就差不多了，想着想着却迷迷糊糊地打起盹来了。在梦境中我来到一个似曾相识的林中湖畔。这景致我从没在现实中见过，然而它却在我梦中屡屡出现，令我以为是故地重游。梦中的我和一位和服装束的青年一起无声地漫步。感觉整个景色笼罩着绿蒙蒙的雾霭，而湖底却架着一座白色、造工精美的桥。

“啊！桥沉入水底了，今天哪里也去不成啦，就在这里的宾馆住下吧！应该还有空房的。”

湖畔有一家石头造的宾馆，那石头也被绿色的雾气浸湿。石门上刻着娟秀纤细的英文字：HOTEL SWITZERLAND[1]。我刚刚读了三个字母时突然想起母亲，母亲现在怎么样了？不知是不是也在这家宾馆？我有些迟疑，同青年一起走进石门到了前院。在雾霭弥漫的院子里，大朵的绣球花怒放，红得像一片

1　英文，意为“瑞士饭店”。

火。儿时我看到被子上印着很多鲜红的绣球花，曾莫名其妙地感到几分伤感，看来还真有鲜红的绣球花呀！

“冷不冷？”

“嗯，有点。雾气打湿了耳朵，耳朵眼里边冷。”我回答一句，笑着问道，“我妈妈怎样了？”

这时，青年悲戚而慈爱地微笑着答道：“她睡在坟墓里。”

“啊！”我轻轻叫了一声。

是啊！母亲已不在人世了。母亲的葬礼不是已经举行过了吗？当我意识到母亲已去世了的时候，一种无以言状的孤苦令我打了个寒战，于是我惊醒了。

阳台上已是黄昏。刚才下雨了，绿色的寂寥依然笼罩在周围，一如刚才的梦境。

“妈妈！”我叫了一声。

“做什么？”母亲平静地回答道。

我高兴得跳了起来，直奔客厅。

“刚才呀，我睡着了呀！”

“是吗？我还以为你怎么了呢！你这顿午觉可睡得不短啊！”母亲颇有兴致地笑着说。

看到母亲生命犹在、活得娴雅淡定，我极度高兴、感激之余，早已热泪盈眶了。

“晚上想吃什么？有没有特别想吃的？”我调皮地问道。

“算了，什么也不要。今天升到三十九度五啦！”

我一下子像泄了气的皮球，就那样茫然地环视一下灰暗的屋内，蓦然起了一死了之的念头。

“三十九度五？怎么搞的呀？”

“没什么，只不过我很讨厌发烧前的感觉，头有点疼，浑身发冷，然后就开始发烧。”

外面已经黑了，雨似乎停了，但风还在吹。我打开灯正要去饭厅，母亲说：“太晃眼，别开灯！”

“在黑暗里一动不动地睡觉，您不愿意吧？”我站住问道。

“闭着眼睡嘛！一回事啊！一点也不寂寞。相反，开灯晃眼我倒是不愿意。以后客厅的灯就一直不要开。好吧？”母亲说。

我感到这又是个不祥的兆头。我默默地关了客厅的灯，来到隔壁房间打开台灯，感到一种难以忍受的伤感，便急忙来到饭厅。将鲑鱼罐头倒在冰冷的饭里吃的时候，大颗的泪珠滚滚而下。

入夜，风越刮越大，九点左右又下起了雨，真正变成了暴风雨。房檐下两三天前卷起的帘子呱答呱答地响。我怀着一种异样的兴奋读着罗莎·卢森堡[1]的《经济学入门》。这是前几天从直治房间拿来的，当时，跟这本书一起我还私自拿来了《列

---

1 罗莎·卢森堡（Rosa Luxemburg，1871—1919）：生于波兰，马克思主义思想家、理论家、革命家，著有《资本积累论》等。

宁选集》，还有考茨基[1]的《社会革命》等。将这些书放到隔壁房间我的桌子上时，母亲正好早晨洗完脸路过我的桌旁。她突然将视线停在这三本书上，一本本拿在手中打量，然后轻轻叹了口气又轻轻把书放回桌上，一脸凄楚地扫了我一眼。

那眼神固然充满着凄楚，然而却决然不是拒绝和厌恶。母亲读的有雨果、大小仲马、缪塞[2]、都德等的作品，我知道那些甘美的故事中也不乏革命的气味。母亲那样的人，说她先天有教养可能不太贴切，但身上有那种精神的人，也许能理所当然地欢迎革命而不使人感到意外。便是我，这样来读罗莎·卢森堡的书，固然不排除有点装样子的成分，但我也会按自己的理解而感到兴趣盎然。书里写的都是经济学理论，你要是作为经济学来读，那实在无聊。实际上全是明摆着的浅易道理，要不然，说不定就是我完全不能理解什么叫经济学，总之，对我来说索然无味。人，是吝啬的，而且是永远吝啬的动物——如果没有这个前提，她那个学问就完全不成立；而对于不吝啬的人来说，什么分配问题也罢，什么问题也罢，都是毫无兴趣的事。尽管如此，我读这本书却在别的方面感到一种异样的兴奋。那就是本书作者毫不踌躇地逐一地摧毁旧思想那种义无反

1 卡尔·考茨基（Karl Kautsky，1854—1938）：德国社会民主活动家、国际工人运动理论家，第二国际机会主义派别领袖之一，也是马克思主义发展史中的重要人物。

2 阿尔弗雷德·德·缪塞（Alfred de Musset，1810—1857）：法国浪漫主义作家，著有《一个世纪儿的忏悔》等。

顾的勇气，甚至使人联想到一个有夫之妇不惜违背道德，不顾一切直奔情人怀抱的形象，那是一种“破”的思想，“破”可悲而凄惨，然而又是美丽的，是试图毁坏了重建并使之臻于完美的梦。但也许一朝毁坏却永无重建之日，即便如此，因为是自己心仪的恋情，仍然必须毁坏，必须发起革命。罗莎就是一门心思地爱上了马克思主义并在与之恋爱。

那是十二年前的一个冬天。

“你是《更级日记》[1]中的少女呀，跟你说什么也没用了。”

我的那位朋友用这句话语向我告别。当时我把她借给我的列宁的书没有读就归还了。

“读了？”

“对不起，我没有读。”

那是在能看见尼古拉教堂[2]的一座桥上。

“为什么？什么原因？”

那位朋友身高比我略高一寸，语言很有天赋，戴着贝雷帽十分相称，人们都说她脸型长得像蒙娜丽莎，是个天生丽质的美女。

---

1 《更级日记》：日本古典文学作品，作者藤原孝标女，以平易的文体记录了自己从少女期到暮年的岁月，文笔华丽哀婉。

2 尼古拉教堂：指位于东京都千代田区神田骏河台的基督教会中央本部，建于1891年，1929年重建。

“我不喜欢封皮的颜色。”

“你这人好古怪！不是吗？实际上你是害怕我了吧？”

“没有怕。只不过讨厌封皮的颜色。”

“是啊。”她怅然说道，接着就说我是《更级日记》里的人物。就这样认定对我说什么都没用了。

我俩默默地俯视着冬日的河水。

“祝你平安！如果这是永别的话，那就祝你永远平安！这是拜伦说的。”她说着，就快速地背诵拜伦那首诗的原文，并轻轻地拥抱了我。

我很感负疚，低声赔罪道：“对不起呀！”

然后朝御茶之水车站方向走，一回头，朋友仍站在原地一动不动地凝眸注视着我。

从那以后，我和那位朋友就分道扬镳再没有见面。虽然两人在同一位外国老师门下学外语，但不在同一所学校。

从那时起，已经十二年过去了。我并没有从《更级日记》前进一步。在此期间，我究竟干了些什么？既没有向往过革命，也不了解什么是恋爱。以前世间大人们教给我们：革命和恋爱这两件事最为愚蠢可恶。战前战中我们对此都是确信无疑的，而日本战败后，我们不再信任世上的大人了，感觉任何事都是在他们所说相反的方面才有真正的活路。革命也罢，恋爱也罢，都是世上最美好的事情。开始这样认为：正因为太好了，所以大人们才不怀好意地扯谎把那说成是青涩的酸葡萄。

人，就是为恋爱和革命才出生的——对此我确信无疑。

隔扇拉开，母亲笑着探出头说：“还没睡！你不困呀？”

一看桌子上的表，已经十二点了。

“嗯。一点也不困。一读社会主义的书就兴奋了。”

“原来这样。没有酒吗？那种时候喝点酒睡，就能睡得着了。”母亲调侃地说，态度里有某种近乎颓废派的妩媚。

不久到了十月，但天并没有一下子变得秋高气爽，而是连日阴湿、闷热，就像黄梅天一般。而母亲的热度也还是一到傍晚就在三十八度和三十九度之间波动。

一个清晨，我看到了吓人的情景。母亲的手已经浮肿。她曾宣称早饭最香，近来也只能坐在床上吃小半碗；菜呢，说是闻不得气味大的东西，端给她松蘑汤，也似乎讨厌那气味。将汤碗端到嘴边，一口没喝就放回了托盘。那时，我看到母亲的手大惊失色，右手都肿胀得圆鼓鼓的了。

“妈妈！您的手，没事吗？”

她的脸色苍白，看起来也有些浮肿。

“没什么呀！这点事，不算什么。”

“什么时候开始肿的呀？”

母亲好像是怕光似的眯缝着眼睛，没有说话。我真想放声大哭。这样的手不是母亲的手，是别人家阿姨的手。我母亲的手更纤细、更娇小，是我熟知的手，雅致的手，可爱的手，难道那双手已经永远消失了吗？左手虽然肿胀得不太厉害，但也是惨不忍睹，我移开视线呆呆地瞪着壁龛里的花篮。

我满眼泪水忍不住站起身跑向饭厅，看见直治正独自在那吃半熟的鸡蛋。他就是偶尔待在伊豆这个家里，夜里也一定要到阿咲那去喝烧酒。早晨他一脸不痛快，饭也不吃，只吃四五个半熟鸡蛋便又回到二楼，有时躺着有时起来。

“妈妈的手浮肿得……”我说了半句话便低下头说不下去了，低着头抽噎得肩膀抖动。

直治没有说话。

我抬起头抓住桌子的一角说：“已经不行啦！你没有发觉吗？肿成那样，已经不行啦！”

直治也阴沉着脸，道：“没几天了，切！要有事干了！”

“我，还想再给她治一次，要想办法给她治啊！”

当我攥着两手说这句话的时候，直治突然低声哭起来了。

“哪有一件好事？我们哪有一件好事？”他说着，用拳头胡乱地擦着眼泪。

那天，为了向和田舅舅报告母亲病情并听取今后的意见，直治进京去了。我呢，只要不在母亲身旁，从早到晚都悲泣不止。冒着晨雾去取牛奶的时候，对镜子梳妆的时候，涂抹口红的时候，我都在哭。和母亲一起的种种温馨往事像绘画一样浮现在脑际，我泪流不止，无法自禁。傍晚天黑以后，我来到中式房间的阳台，又抽泣了好长时间。秋天的夜空，群星闪烁，邻家的猫蹲在我的脚下纹丝不动。

第二天，母亲的手浮肿得更加严重，饭食已粒米不进。就连橘汁也说是刺痛了干裂的嘴唇而不敢喝了。

“妈妈，要不您就再把直治做的口罩戴上?”

我本打算笑着说的，但说着说着心里难受便哇的一声号啕痛哭起来。

“每天你都忙忙乎乎太累了，给我雇个护士吧!”

听到母亲淡定的话，我明白了母亲担心我的身体超过担心她自己，心里越加难过，站起身跑到三块席子大小的洗澡间哭了个够。

过午，直治带来了三宅老先生和两名女护士。平素总爱开玩笑的老先生当时好像有点生气，快步来到病人房间立即开始看病，并喃喃自语:“变得衰弱啦!”

然后给母亲注射了强心剂。

母亲梦呓般地问道:“先生住哪里?”

“还是长冈，已经订好了，不必担心。不要让这位病人操心别的事，让她更加随心所欲地多吃想吃的东西，补充了营养就会好的。明天我还来，留下一名护士，请你们给她派用场吧!”

老先生对着母亲病床大声说，然后给直治使了个眼色，站起身来。

直治独自去送老先生和护士回来，我看到的是一张强忍住没哭出来的脸。

我们悄悄走出病室到了饭厅。

“不行了吗？是不是？”

“真没劲！”直治歪着嘴笑了，“看样子急剧衰弱，说是就这两天的事了。”说着，热泪长流。

“是不是要打电报通知各方面呀？”

我呢，反而冷静下来了。

“关于那个我已和舅舅商量过了。舅舅说，眼下不是那种方便人们聚会的时候，这么小的房子请来了反而失礼，再者说附近也没有个像样的旅店，就是长冈温泉，也订不起两三个房间，咱们已经穷了，无力请人家那些有头有脸的人物啦。舅舅回头马上就该到了，不过，那家伙从来就是个吝啬鬼，根本靠不住。就说昨夜吧！已经放着妈妈的病不管却对我好一通说教。听了吝啬鬼的说教而幡然悔悟的先例，古今东西还没有呢！那家伙和妈妈的姐弟关系，与你我的姐弟关系相比，有着天壤之别啊！真烦人啊！”

“不过我呢，另当别论了；你今后要是不依靠舅舅……”

“早就够啦！还不如做乞丐。倒是姐姐，今后得依靠舅舅呀！”

“我……”我泪如泉涌，“我有地方可去的。”

“再婚？定了吗？”

“没有。”

“自力更生？职业女性，算了算了！”

“也不是自力更生，我呀，要当革命者啊！”

“咦？”直治一脸狐疑地看着我。

这时，三宅先生带来的护士来叫我了：“老夫人好像有事。”

我急忙来到病室，坐在母亲的被窝旁，把脸贴近母亲问道：“什么事？”

但母亲欲言又止。

“要喝水吗？”我问道。

母亲轻轻摇了摇头，似乎不是要水喝。

过了一会，母亲轻声说道：“我做梦啦！”

“是吗？梦见什么了？”

“梦到了蛇。”

我心里咯噔一声。

“你去看看廊下放鞋的石头上，是不是有一条长着红色条纹的雌蛇？”

我感到浑身透过一股寒意，猛地站起来到了走廊，隔着窗玻璃一看，秋天的阳光下，放鞋的石头上果然盘踞着一条长蛇。我一下子眩晕眼迷了。

我认识你。虽然你比那时候长大了，老了，但是你就是被我烧了蛋的那条蛇啊！我已经明白了你在报复我，你到那边去吧！快点到那边去吧！

我心中默念着这些话，注视着那条蛇，但那条蛇却纹丝不动。不知为什么我不愿意让那位护士看到那条蛇，就咚咚地跺脚，并故意大声喊道："没有呀！妈妈，梦里的事不可信呀！"

这时我瞄了一眼石头那边，蛇总算开始挪动身体，磨磨蹭蹭地从石头上溜下去了。

看到那条蛇，我心底头一次产生了彻底的绝望感。父亲死的时候，也说是枕边有条小黑蛇。而且，当时院子里所有树上全缠绕着蛇，那是我亲眼所见。

母亲似乎从床上爬起来的力气都没有了，总处于恍惚状态，整个身体全凭陪床护士来支配，而且已经饮食不进。我看到蛇以后，怎么说呢，是不是可以说我有种超越悲伤底线的安心感，胸中似乎生出一种类似幸福感的从容，心想剩下的就是尽量待在母亲身旁吧。

次日起我就紧贴着母亲病床坐着织毛线活了。虽然我编织和做针线都比别人快，但技术拙劣。所以，那种时候母亲总是手把手地教我。那天，本来我也是无心编织毛线活，但像膏药一样紧紧黏着母亲会给人不自然的感觉，我是为了装样子才搬出毛线盒子来专心织毛线的。

母亲盯着我的手说："是在织你的袜子吧？那你就要再加八针，不然穿上会太紧的呀！"

在我小时，母亲怎么教我也学不会，当时又急又羞，如今回想起来是那么亲切那么使人眷恋。啊！一想到今生今世母亲再也不能教我织毛线了，便泪眼滂沱，连织到哪里都看不清了。

母亲就这样躺在床上，看不出有什么痛苦。从早晨开始她就什么饭食也没吃，只是时而给她用浸了茶水的纱布润润嘴。但她神志清楚，还不时地跟我说话。

“报上好像登了天皇陛下的照片，拿给我再看看！”

我把报纸印着照片处擎在母亲脸上方。

“老啦！”

“哪里！这是照得不好呀！不久前的照片还相当年轻，很精神呢！陛下反倒很喜欢这种时代吧？”

“为什么？”

“可陛下，这次不是也被解放了吗？”

母亲怅然地笑了。过了一会，她说：“已经欲哭无泪啦！”

我蓦地想到，眼下母亲是不是很幸福啊？所谓幸福，就像沉积在悲哀河底隐约闪光的沙金。如果说度过悲哀的极限发出的微光就是幸福，那么陛下，母亲，还有我，现在的确是幸福的。恬静的秋日上午，沐浴着和煦阳光的秋日庭院。我放下手中毛线活向大海眺望，齐我胸口高的海面在阳光照射下熠熠生辉。

“妈妈，以前我真是太不通世故啦！”

我说完还想说点什么，但害怕给在客厅角落准备静脉注射的护士听到后难为情，便住了嘴。

“你说‘以前’？”母亲微微一笑，挑我的毛病，“那么说，现在你就通世故了？”

不知何故我羞得满脸通红。

“世间，弄不懂。”母亲转过脸去小声喃喃自语。

“我不懂，恐怕也没人能搞懂。我们到什么时候都是个孩子，不可能懂。”

然而，我得活下去。也许是个孩子，但已不能继续再撒娇了。我今后要和世间斗争。啊！那样与人无争，无怨无恨，娴雅而悲哀地走完一生的人，母亲已经是最后一个，今后的世上不复存在了。我觉得死去的人是美丽的；活着，苟活于世，那是丑恶、血腥、令人作呕的事情。我在席子上想象出一条怀有身孕的蛇在挖洞的丑态。然而，我仍然不能彻底死心。我不在乎浅薄，我要活下去，为完成所想的事去与世间斗争。母亲即将驾鹤西去既然已无法改变，我感觉我的浪漫和感伤也逐渐销声匿迹，自己将要变成别人不得不防的某种奸诈的生物。

那天过午，我正在母亲身边给她润嘴巴，门前有汽车停下，和田舅舅和舅母一起从东京坐汽车赶来了。舅舅一走进病室便默默地坐到母亲枕边，母亲则用手帕遮住了自己的下半张脸，盯着舅舅哭了。但只是脸上像哭，并没有流出眼泪，好像是个偶人。

“直治在哪里？”过了一会，母亲看着我问道。

我上了二楼，对躺在沙发上看新刊杂志的直治说：“妈妈招呼你呢！”

“哎哟！又是去伤心地呀，你们忍耐力可真强，真能坚持啊！如我之流，你说不拘礼也罢，薄情寡义也罢，实在是痛苦，体质衰弱心有余而力不足，实在没有气力陪在妈妈身边了。”

他边说边穿上外衣，跟我一起下了楼。

两人并排坐到母亲枕边，母亲忙不迭地从被子里伸出手来，默默地指指直治又指指我，然后把脸朝向舅舅，将两只手掌紧紧地合在一起。

舅舅深深地点了点头说：“啊！明白啦！明白啦！”

母亲放了心似的闭上眼睛，把手轻轻放回被子里。

我哭了，直治也低着头呜咽。

这时，三宅老先生从长冈来了，赶忙给打了一针。母亲呢，或许是因为见到了舅舅已再无遗憾了，她说：

“先生，请让我早些解脱吧！”

老先生和舅舅面面相觑，一言未发，两人眼里都闪着泪花。

我站起来去厨房做舅舅爱吃的狐狸乌冬面[1]，再加上大夫、直治、舅母的份，我把四个人的面端到中式房间，又把舅舅带来的礼物丸之内[2]饭店的三明治拿给母亲看，并将其放在母亲枕边。

“你很忙吧！”母亲小声地说。

---

1 狐狸乌冬：原文“きつねうどん”，加入油豆腐、葱花、酱油煮出的粗面条，据说因狐狸喜食油豆腐而得名。

2 丸之内：东京都千代田区皇居东部一带的地名，繁华的商业区。

大家在中式房间里说了一会闲话，舅舅舅母说是今夜有事必须回东京，把慰问金纸包交给了我；三宅先生也决定和护士一起回去，对留下陪护的护士作了种种交代，说是“总之，神志还清楚，心脏也没垮掉，即使光靠打针再维持四五天不成问题”，那天他们就暂且撤回东京了。

把大家送走以后我一到客厅，母亲就对我露出亲切的笑脸，

“把你忙坏啦！”她再次小声说道。

她的脸孔很有生气，看起来简直就是神采奕奕。我想，可能是因为见到了舅舅，高兴的吧。

“不忙。”我也喜不自禁地莞尔一笑。

而这，就是我和母亲的诀别对话。

三个小时后母亲过世了。在那宁静的秋日黄昏，由护士把着脉，在我和直治仅仅两个骨肉亲人的注视下，日本最后一位贵妇、娴雅婉丽的母亲过世了。

母亲死后的遗容几乎没有改变。父亲死的时候脸色唰地变了，而母亲的脸色一如原样，唯独呼吸停止了，而且也不清楚那呼吸是什么时候停止的。脸上的肿胀也比前几天消退了些，脸颊蜡一般光滑，薄薄的嘴唇微微歪斜，好似含着微笑，比生前的母亲更娇美艳丽。我觉得很像*Pieta*[1]那幅画里的圣母玛利亚。

---

1 Pieta：意大利语，译“圣母怜子图”“圣殇”“虔敬的心”等。原本是意大利文艺复兴时期艺术家米开朗琪罗（1475—1564）在佛罗伦萨的一座雕塑，圣母膝上躺着死去的耶稣，之后很多人创作的同样主题的画或雕塑，都叫作pieta。

六

斗争开始。

我不能总是沉溺在悲痛中，无论如何要出手斗争。为新的伦理，不，这样说有点伪善。是为了恋爱，仅此而已。正像罗莎不依靠经济学就活不下去，我现在不抓紧恋爱也活不下去。耶稣为揭露世上的宗教家、道学家、学者、权威的伪善嘴脸，毫不踌躇地将神的真爱如实地带给人们，派遣其十二名弟子奔赴各地时教导弟子们的话，似乎和现在的我并非全然无关。

> “腰带里不要带金银铜钱；途中不要带行囊，不要带两件内衣，也不要带鞋子和手杖。看哪！我差你们出去，如同羊进入狼群，所以你们要机警如蛇，纯真如鸽。你们要防备那些人，因为他们要把你们交给议会，也要在会堂里鞭打你们。你们要为我的缘故被送到统治者和君王面前。当人把你们交出时，不要担心怎样说话，或说什么话。到那时候，必赐给你们该说的话，因为不是你们自己说的，而是你们父的灵在你们里面说的。而且你们要为我

的名被众人憎恨。但坚忍到底的终必得救。有人在这城迫害你们，就逃到另一城去。我实在告诉你们，以色列的城旗，你们还没有走遍，人子就要来临。

那杀人身体但不能灭人灵魂的，不要怕他们；惟有那能在地狱里毁灭身体和灵魂的，才要怕他。你们不要以为我来是带给地上和平，我来并不是带来和平，而是刀剑。因为我来是要听人与父亲对立，女儿与母亲对立，媳妇与婆婆对立。人的仇敌就是自己家里的人。爱父母胜过爱我的，不配作我的门徒；爱女儿胜过爱我的，不配作我的门徒。不背自己的十字架跟从我的，不配作我的门徒。得着性命的，要丧失性命；为我丧失性命的，要得着性命。”[1]

斗争开始。

如果因我的恋爱而发誓恪守耶稣的教诲，也许会受到耶稣大人的申斥，为什么“恋”坏而“爱”好呢？我不懂。我强烈地感到那没什么两样。为了说不清道不明的爱，为了恋，为了那种悲伤，将身体和灵魂在炼狱中毁灭者，我敢断言，那正是我。

在舅舅他们的帮助下，我们在伊豆小规模地安葬了母亲。正式葬礼在东京举行后，直治和我在伊豆山庄又开始了不明因

1　此段为抄录《新约·马太福音》第十章之一部分的汉译。

由的不和谐生活，两人见了面也互不交谈。直治说是要搞出版业，将母亲的珠宝首饰全都拿去变卖，在东京喝酒喝累了，就重病人一样铁青着脸跌跌撞撞地回家来睡觉，有时还带回来舞女模样的人，这种时候厚脸皮的直治也有些不好意思，于是我就不失时机地钻直治的空子，正所谓“蛇一般聪慧”：

“今天，姐姐去一下东京行吗？好久没去朋友那了，去玩上两三天就回来。请你看家吧！做饭的事，你就求她好了！”

我把化妆品、面包等塞进手包里，极其自然地得到了进京与那人相会的机会。

以前曾不经意地从直治口中听到，那人战后的新居，似乎从东京郊外“省线”（运输省经营的电车线）荻窪站下车再走二十分钟就到。

那是个寒风凛冽的日子。从荻窪站下车时天色已微黑，我叫住一位行人，说了那人地址请行人告诉了我方位。在漆黑的郊外小巷转悠了一个小时，心里发虚地流下了眼泪。接着，人还跌倒在沙石路上，木屐带子也断了，正茫然呆立不知所措时，猛然看见右侧两所大杂院其中一所门上的名牌在夜里看去白蒙蒙的，上面依稀写着“上原”。便一只脚没穿木屐就跑向那家的玄关，确认了名牌上写的就是“上原二郎”，然而家中却一片漆黑。一瞬间我再次不知如何是好，就以豁出去的心情靠在木门上，喊了一声：

“请问有人吗？”然后，两手抚摸着门上的木格子，小声叫道，“上原先生！”

有人答应，但是个女声。

玄关的门从里边开了，一位比我年长三四岁光景的女人在黑暗的玄关处笑了一声，她长着鹅蛋脸，有点古色古香的韵味。

“哪一位呀？”

问询的话语中既没恶意也没有戒备。

“不，那个……”

但是，我错过了自报家门的时机，似乎我的恋爱唯独在此人面前感到负疚，我战战兢兢，近乎卑微地问道：

“先生，在吗？”

“哦！”她答应一声，并怜悯地看了我一眼，“不过，他去哪里了大致也能……”

“很远吗？”

“不。”她感到有点可笑，用一只手捂住了嘴，“就在荻窪。您到站前一家叫白石的杂烩店一问，就能知道他在哪里。”

我恨不得立即飞去。

“啊！原来这样。”

“啊呀！您的木屐。”

夫人让我进到玄关里坐在台子上，从屋里拿来了可以在木屐绳断裂时简单修理好的皮条，是不是可以叫“临时木屐绳”啊，帮我修好了木屐。这期间夫人点上了蜡烛拿到玄关来说：

“不巧两个灯泡都坏了，最近灯泡也贵得要命，而且灯丝很容易断，真是够呛。我丈夫要是在会给买来。不过昨晚、前晚都没回来，我们身无分文，就只好连续三个晚上早早上床睡觉了。”

她说着，显出发自内心的轻松。妇人身后站着个十二三岁的女孩，苗条身材大眼睛，一脸怯生生的表情。

情敌，我虽然没有这样认为，但这位太太和孩子是迟早会将我看成仇敌来憎恨的。想到这，感到我的恋爱似乎也凉透心了似的。我修好木屐带，站起身来用力拍两下手抖掉灰尘，却感到一股悲凉猛然袭上心头令我不堪忍受，甚至产生一种想跑进客厅抓住夫人的手痛哭一场的强烈冲动。但又考虑到那样做了事后自己无法收场的尴尬和无聊，便忍住了。

“谢谢啦！”

我异常谦恭地鞠了个躬，就出到外面的寒风里。战斗开始。喜欢，仰慕，真正地恋爱，真正地喜欢，真正地仰慕、思念，所以无奈。因为喜欢，所以无奈。因为仰慕，所以无奈。那位夫人真是罕见的好人，那女孩也很漂亮，不过即使把我弄上神的审判台，我也毫不认为自己心中有愧。人，就是为恋爱和革命生到世上来的。神也不可能处罚我。我一点都不坏，因为是真心喜欢。所以，我非常自豪，为见到那人我就是风餐露宿两三夜，也在所不辞。

马上就找到了站前的白石杂烩店。但是，那人并不在那里。

“在阿佐谷呀！肯定。从阿佐谷车站北口一直朝前走，对呀！大约走一丁[1]半的样子吧，就有家五金店，从那向右拐，还有半丁远吧，有家叫作‘柳屋’的小餐馆。先生这阵子和‘柳屋’的阿弃姑娘打得火热，总在那里泡着，真受不了！”

我走到车站买了票，坐上省线电车在阿佐谷站下车，从北口直走一丁半，然后又从五金店向右拐走了半丁就看到了“柳屋”，但里面静悄悄的。

“刚刚走。不过，说是大家要一起到西荻窪的‘千鸟’店阿姨那里去喝通宵呢！”

一位比我年轻、落落大方、高雅亲切的女人告诉我，也许她就是与那个人打得火热、叫个什么阿弃的女人？

“‘千鸟’？在西荻窪哪里？”

我胆怯得快要哭出来了。猛然想到，自己现在是不是疯了？

“我也不太清楚，不过你总得从西荻窪下车，从南口向左拐，到派出所问一下就会知道的。反正他们不会在一处喝完了事，说不定去‘千鸟’之前又被哪家酒馆拖住了呢！”

“那我就去‘千鸟’。再见！”

再走回头路。从阿佐谷站坐上省线开往立川方向去的电

1　丁：又作“町”，日本距离单位，1町约等于109米强。

车，过了荻窪，从西荻窪车站南口下来，在寒风里转悠，发现了派出所，问了“千鸟”店的方位。然后按警察的指点在夜路上飞跑，终于看见“千鸟”的绿色灯笼，便毫不犹豫地打开了木门。

土间[1]以外是个六张席子大小的房间，屋内烟雾蒙蒙，十人左右围着房间里的大桌子哇哇乱叫正喝得热闹。其中夹杂着三个比我还年轻的小姐，又是吸烟又是喝酒的。

我站在土间扫视一下人群，发现了那个人，恍如梦境。整整六载过去，他变了，简直判若两人。

这难道就是我那梦中的彩虹？就是我赖以活下去的那个精神支柱M·C吗？蓬乱的头发虽然还一如往昔，但已成红褐色并变得稀疏，看上去可怜兮兮的；脸色灰黄，烂眼边发红、门齿脱落，说话时嘴里鼓鼓囊囊的，活像一只弯腰驼背坐在屋角的老猴子。

一位小姐盘问了我，然后用眼神向上原先生示意我来了。他坐着伸长脖子毫无表情地看了我一眼，用下巴示意我走上来。满座人仍然吆五喝六，似乎对我这个人视而不见。尽管这样，总算给我挤出一点空位，让我坐在了上原先生的右边。

我默默地坐着。上原先生给我的酒杯里斟满了酒，又往他自己杯子里添满了酒，然后用沙哑的声音低声说道：

1　土间：和式房间进门处没铺地板和榻榻米，比主空间矮半尺多的夯土地面的空间，也有的铺三合土、瓷砖。

“干杯！”

两个杯子轻轻碰了一下，发出感伤的响声。

“格洛亲，格洛亲，休路休路休路。”有人这样一开口，马上又有人来和，也说“格洛亲，格洛亲，休路休路休路”。然后酒杯猛地一碰发出清脆的响声，紧接着就猛灌一口。“格洛亲，格洛亲，休路休路休路”，到处响起这首胡编乱造的歌。频繁地碰杯、干杯，看样子就靠那极其可笑的节奏来助兴，硬把酒灌进喉咙。

“那么，失礼啦！”

刚有人说了这句话踉踉跄跄地走了，马上又有新客朝上原先生点点头挤进座位。

“上原先生，那个地方怎么说啊？是‘啊，啊，啊’？还是‘啊啊，啊’？”

起身问话的人，确乎是我也曾在舞台上见过的话剧演员藤田。

“是‘啊啊，啊’。就这样说：‘啊啊，啊，千鸟的酒，不便宜’！”上原先生答道。

“净说钱的事！”一位小姐说。

“两只麻雀一分钱，是贵还是便宜？”一个年轻的绅士问道。

“有句话叫作‘若不还清最后一分钱’[1]；有的给五‘他连

1　出自《新约・马太福音》5：26，太宰治作品《HUMAN LOST》《鸥》中均有引用此句。

得’，有的给二‘他连得’，有的给一‘他连得’[1]。这是很麻烦的比喻，看来耶稣算账也蛮精细的嘛！”另一位绅士说。

“而且，他还是个酒鬼呀！《圣经》里面关于酒的比喻很多，里面果真写着‘瞧！嗜酒的人！’[2]这样的指责。不说‘喝酒的人’，而说‘嗜酒的人’。肯定是个相当贪杯的酒鬼啊！最少也有一升的酒量吧？”别的绅士说。

“算了，算了。啊呀！你们害怕道德的谴责，就拿耶稣来说事！小千枝，喝呀！格洛亲，格洛亲，休路休路休路。”

上原先生和最漂亮的姑娘“叮”一声碰了杯，然后猛喝一口，酒从他的嘴角滴落下来把整个下巴都湿了，他破罐子破摔似的用手掌粗暴地一擦，连打了五六个喷嚏。

我轻轻站起来到隔壁房间问老板娘洗手间在哪里，老板娘似乎有病在身，脸色苍白身体瘦弱。当我回来经过大房间时，刚才那个最漂亮的年轻姑娘小千枝站在那里好像等着我似的问道：

“您肚子不饿吗？”口气亲切带着笑容。

“嗯。不过，我带着面包哩！”

“什么也没有，真是的。”

1　出自《新约·马太福音》25：14—28，“他连得”是古代希伯来犹太人一种很大的货币单位，相当于今天的数千英镑。在这里是比喻英语词talent（才干）的意思。

2　出自《新约·路加福音》7：33—34。

似乎身上有病的老板娘慵懒地横坐着，一直围着长火盆[1]说道：

“你在我这屋吃饭吧！陪着那帮酒鬼，整个晚上什么也吃不成。坐下吧！到这边来！千枝子也一起来！”

“喂！小绢！酒没啦！”绅士在隔壁叫喊。

“来了来了！”

叫作小绢的三十岁光景的女佣答应道，她穿着漂亮条纹花色的和服，手上端着放有十个酒壶的托盘从厨房里出来了。

“你来一下！”老板娘把她叫住，笑着说，“给这里也来两壶！”

“另外，小绢！对不起，你辛苦一趟到后街‘铃屋’去买两碗乌冬面，越快越好！”

我和小千枝并排坐在长火盆旁边烤着手。

“围上被子吧！冷了。你不喝点吗？”

老板娘给自己的碗里倒了酒，又另外倒了两碗。

于是，三人默默地喝起了酒。

“大家酒量都还可以嘛！”

不知为什么老板娘的口气很恳切。

这时，响起了哗啦一声开门的声音。

“先生！取来了！”传来一个年轻男子的声音。“我们社长

---

1 长火盆：木柜状，上面镶嵌着一小火盆，一般都有几个抽斗。上面有铜壶和猫板，猫喜欢躺在上面睡觉。

真抠，我一直坚持要两万，可最后才勉强给了一万。”

“是支票吗？”是上原沙哑的声音。

“不，是现款。对不起！”

“啊，算啦！我给你写收条。”

“格洛亲，格洛亲，休路休路休路”的干杯歌，这个期间也没有停止过。

“阿直呢？”老板娘一本正经地问小千枝。我吓了一跳。

“不知道。我又不是看守阿直的。”

小千枝狼狈不堪，小脸蛋红了，很可爱。

“最近好像跟上原先生闹掰了？本来总是在一起的呀！”老板娘沉静地说。

“他迷上跳舞啦！还搞上了个舞女恋人呢！”

“要说阿直呀，酒外加女人，不好办。”

“都是老师教的。”

“不过，阿直本人天性不好，像他那种落魄公子哥……”

“那个，”我微笑着插了一句嘴，觉得若是一言不发反而对在场的两位失礼，“我就是直治的姐姐呀！”

老板娘好像很吃惊，重新审视一下我的脸，而小千枝则满不在乎地说：

“长得很像嘛！您站在土间暗处时，我吓了一跳，还以为是阿直呢！”

“是吗？”老板娘改变了语气，“您居然来到这么肮脏的地方，唉！那么，您和那个上原先生早先……”

“嗯。六年前见过他……”我吞吞吐吐地说了半句话便低下了头，眼泪快要掉下来了。

“让你们受等啦！”

女佣拿来了乌冬面。

“吃吧！趁热。”老板娘劝我们。

“那就不客气啦。”

我将脸前倾在乌冬面的热气里，呼噜呼噜地吃得很快，但却感觉此时此刻才真正领略到人活于世贫穷潦倒到极点的滋味。

上原嘴里哼着“格洛亲，格洛亲，休路休路休路；格洛亲，格洛亲，休路休路休路”，走进了我们这屋子，一屁股盘腿坐在我身旁，默默地交给老板娘一个大信封。

“就这么点，剩下的可不许赖账呀！”老板娘对信封里的东西看也不看就把它收进长火盆的抽斗里，笑着说。

“肯定给。剩下的账明年付。”

“又是那套话！”

一万日元。有这么多钱，可以买好几个灯泡吧？要是我有这么多钱，足够我过一年的了。

啊！这些人走在某种歧路上。然而，和我的恋爱一样，他们也是不这样就活不下去。如果说人既然生在世上怎么也要活下去的话，对他们这种为了活下去的生活态度也许不应该憎恨。活着，没死，啊！这是何等不堪忍受、令人窒息的大功业啊！

“总之，”听得见隔壁房间里一位绅士说，“今后要在东京生活下去呀，不学会‘您好！’这种极其轻佻的寒暄是无论如何也吃不开了。对现在的我们，要求稳重呀诚实呀那种美德，就好像使劲往下拉上吊自杀者的脚。什么稳重、诚实，呸！见鬼去吧！那能活下去吗？如果呀，‘您好！’不能脱口而出，那就只剩下三条路可走，一条是回乡务农，一条是自杀，再一条就是吃软饭！”

“对哪条路也走不通的可怜虫来说，最后的唯一手段，”另一位绅士说，“那就是找上原二郎蹭酒喝！”

格洛亲，格洛亲，休路休路休路；格洛亲，格洛亲，休路休路休路。

“晚上没地方睡吧？”上原低声问道，好像自言自语。

“问我？”

我感到自己像一条蛇抬起了镰刀状的头。敌意。一种类似敌意的感情使我的身体变得僵硬。

“不介意男女混杂着睡吗？冷啊！”上原并不介意我的不快嘟囔着。

“恐怕不行啊！”老板娘插嘴说，“那太可怜啦！”

“切！”上原咂了咂嘴，“那就别到这种地方来好了。”

我没有说话。这人的确看到了我的那些信，而且我从他说话的口气也很快感知到，他比任何人都爱我。

“没法子呀！是不是去求求福井先生？小千枝，你能不能把她带过去？不行，光是女人路上是不是危险？真麻烦！老板娘！请把这人的木屐拿到厨房这边来，我去送一趟！”

外面已是深夜。风小了一些，漫天星斗。我们并排着走在路上。

“混杂着睡还是怎么睡，本来我都是可以的。”

上原只是困倦地“嗯”了一声。

“你是想和我两人单独在一起的吧？对不对？”我说完这句话笑了笑。

“因为这个，所以才不愿意呀！”他歪着嘴苦笑了。

我深深意识到他很疼爱我。

“您酒没少喝啊！每天晚上都喝？”

“对。每天，从早晨开始。”

“喝酒，香吗？”

“不好喝呢！”

听他那样说，不知为什么我打了个寒战。

“您的工作方面进展怎么样？”

“完蛋了。写什么都是越写越荒诞，只是感到分外悲哀。生命的黄昏，人类的黄昏，艺术的黄昏。是不是也有点装腔作势啊？”

"郁特里罗。"[1]我几乎无意识地说出了这个名字。

"啊！郁特里罗，好像还活着呢！酒精的亡魂，行尸走肉啊！这十年间，那小子的画太俗不可耐了，通通不行。"

"恐怕不止郁特里罗吧？其他艺术大师也都……"

"是的。衰弱。不过新芽也停止了发育日渐枯萎。霜。Frost[2]。好像全世界都下了不合时令的霜。"

上原轻轻搂着我的肩头，这样我的身体就被包在他的和服披风里，我没有拒绝，反而更紧地贴到他的身上慢慢地走着。

路旁树木光秃秃没有一片树叶的尖尖枝头，锐利地刺向夜空。

"要说树枝，也挺好看的呀！"我不禁自言自语。

"嗯。鲜花配上黑乎乎的树枝。"他有些狼狈地说。

"不啊，我就喜欢这样的树枝，花、叶、芽一概没有。尽管如此，它们却千真万确地活着，同枯枝不一样啊！"

"唯独大自然不会枯萎？"他说着，连续打起了好几个大喷嚏。

"您是不是感冒了？"

"哪里，非也。其实呀，这是我的怪癖啊！我的醉酒达到

1 郁特里罗：法国风景画家莫里斯·郁特里罗（Maurice Utrillo，1883—1955）。其母是画家苏珊娜·瓦拉东。十九岁时因饮酒过度而无法工作，在其母支持下开始作画，后成为著名的巴黎街景画家。

2 英语，意为"霜"。

饱和点以后马上就想这样打喷嚏，好像醉酒测定仪一样。”

“那么，恋爱呢？”

“咦？”

“有人吗？让您爱到饱和点那样的人。”

“什么呀！不许嘲弄我！女人都是一样的。麻烦，要不得啊！格洛亲，格洛亲，休路休路休路。其实我倒是有一个，不对，算半个吧。”

“我的信，您看了？”

“看了。”

“您的回信呢？”

“我讨厌贵族。你们身上总有某种叫人讨厌的傲气。令弟直治，作为贵族算得上很出色的男人，但时而会突然露出那种自命不凡，让别人根本无法和他交往。我是乡下老农的儿子啊！走过这种小河旁，必然会强烈地回忆起儿时在故乡钓鲫鱼、捞鲦鱼的情景。”

我们沿着小河走着，在黑暗中小河里隐约传来潺潺的流水声。

“可你们贵族不仅不能理解我们的这种感伤情怀，而且看不起我们。”

“那屠格涅夫呢？”

“那家伙就是个贵族，所以我讨厌他。”

“可是，《猎人笔记》……”

“嗯。唯独那本还有点意思啊！”

“那是农村生活的乡愁……”

“看在那家伙是土贵族的分上，我要不要妥协啊？”

“我现在也是个乡下人。还在种田呢！乡下贫民。”

“现在你还喜欢我吗？”口气很粗暴，“你是想要我的孩子吗？”

我没有回答。

他以山岩压顶之势贴近我的脸，不管三七二十一地亲吻着我，这种亲吻散发着性欲的气息。我接受了他的亲吻却流出了眼泪，这是一种类似屈辱、悔恨的痛苦泪水，那眼泪狂流不止。

接着两个人又并排着继续走路。

“糟啦！爱上你了！”他说着，笑了。

然而我没有笑，只是皱了皱眉头噘了噘嘴。

无奈——若要用语言来表现的话，就是这种感觉。我发觉自己拖着木屐走得很粗重颓唐。

“糟啦！”他又重复了一次，“真的去呀？”

“装蒜！”

“你这死丫头！”

上原用拳头咚地打了我肩头一下，就又开始打喷嚏。

福井家，好像人们都睡了。

“电报！电报！福井桑，有电报啊！”大声喊叫的上原先生敲了玄关的门。

“是上原啊！”家里传来一个男声。

“一点不错。王子和公主来拜托借宿一夜。这么冷一个劲打喷嚏，好不容易的私奔要变成滑稽剧了。”

玄关的门从里面打开了，一个年过五十的秃头小个子叔叔穿着华丽的睡衣，脸上挂着诡秘而羞怯的笑迎接了我俩。

“拜托！”上原只说了一句，连披风也不脱就急火火地往屋里走，“工作室太冷住不了，住楼上吧！跟我来！”

他拉着我的手走过了走廊，上了走廊尽头的楼梯进入黑洞洞的客厅，然后“啪”一声打开了屋角的电灯开关。

“简直像餐馆一样啊！”

“嗯。这是暴发户情趣嘛！不过，给他这种蹩脚画家住可惜啦！那小子贼运亨通却没有遭难。不可不利用也！快点，睡吧，睡吧！”

他像在自家一样随便地打开壁橱，拿出被子铺好。

“你在这里睡吧！我走了，明早来接你。洗手间下楼梯右拐就是。”

说完就好像从楼梯滚下去一样，咚咚咚咚大声下楼去，然后就万籁俱寂了。

我闭了灯，脱下了父亲从国外买来的料子做的天鹅绒外套，仅仅解下和服带就钻进了被窝。可能是疲劳加上喝了酒，身体倦怠，马上就迷迷糊糊睡着了。不知不觉，那个人就睡在我身旁了……将近一个小时我一直在默默进行着拼命的抵抗。

忽然，我又感到他很可悲，便放弃了抵抗。

“您不干这个心里就不踏实，是吧?”

“啊，是这么个理。”

“您，不是在作践自己的身体吗?咳血了吧?”

“你怎么知道的?其实，前些日子倒是咳血很厉害，不过我谁也没告诉呀!”

“您身上散发的气味和家母临死前是一样的呀!”

“我就是想死才拼命喝酒的，活着太悲哀了。并不是什么萧索呀寂寞呀那些从容淡定的无病呻吟，而是悲哀。周围阴森的长吁短叹不绝于耳，唯独自己自得其乐，这可能吗?当一个人明白自己有生之年绝无幸福和荣光的时候，他将作何感想呢?努力，那种玩意儿只能成为饿兽的食饵。凄惨的人太多啦!我这是装腔作势吗?”

“不是。”

“只剩下恋爱。正如你信里的观点呀!”

“原来这样。”

我的恋爱之火已经熄灭。

天明了。

屋里开始亮起来，我仔细端详着睡在我身边这人熟睡的脸，那是一张近乎死人的脸，一张精疲力竭的脸。

牺牲者的脸，高贵的牺牲者。

这就是我的人，我的彩虹，我的孩子，可恨的人，狡猾的人。

我感觉那张脸十分受看，简直举世无双，我心情激荡似乎恋情死而复生。我抚摸着他的头发，主动地亲吻了他。

这就是我悲苦之恋修成的正果。

上原先生闭眼搂着我，说："我太偏激了，因我是个农民的儿子。"

我已不想再离开他。

"我，现在很幸福呀！周围就是传来叹息声，我现在的幸福感也达到饱和点了呀。幸福到要打喷嚏的程度。"

上原先生呵呵地笑了：

"不过，已经太晚啦！已是黄昏了。"

"是早晨！"

我的弟弟直治，就在那个早晨，自杀了。

七

直治的遗书。

姐姐：

不行了，我要先走一步啦！

自己为什么要活下去？我一无所知。

想活下去的人，就自己活下去好了。

人，有活的权利；同样，人，也该有死的权利。

我这种想法一点也不新鲜，只不过人们对这个亘古以来天经地义的真理出奇地害怕，不敢说出口而已。

想活下去的人，必然应该是不择手段地顽强地活到底，那或许能活出完美的、可称之为人类桂冠的东西，不过我认为，想死也并非罪过。

我，我这样一棵小草，在这个世上的空气和阳光里，活得艰难。要活下去缺乏某种东西。有欠缺。我活到现在，已经竭尽全力。

我进了高中，首次和一位朋友交往，他是一棵茁壮而强韧的草，来自和成长于与我迥然不同的阶级。被其势头压倒的我为了不服输，用服用毒品变得半疯的办法进行了对抗。接着去当了兵，在那里也还是把吸鸦片作为生存的最后手段。我的这种心理，姐姐恐怕不能理解。

我想变得低俗下流，我想变得强大，不，是想变得强悍。当时认为那就是我成为所谓民众朋友的不二法门。酒水之类，那是不顶用的，必须时时处于眩晕状态。为此，除了毒品别无办法。我必须忘掉家庭，与父亲的血统对着干，拒绝母亲的亲切优雅。对姐姐也必须冷若冰霜。我认为，不如此就得不到进入民众殿堂的门票。

我，变得低俗下流了。我的语言粗俗不堪了。然而，那恐怕有一半，不，甚至有百分之六十是表面镀金，是拙劣的雕虫小技。对民众来说，我仍然是装模作样、假装正经的拘谨男人，他们不会发自内心与我打成一片。而时至今日，我又回不了被抛弃的沙龙了。我的低级下流尽管有六成是表面镀金，那其余四成却变成了真正的低级下流。我对所谓上流沙龙那令人生厌的高品位几乎要作呕，片刻也无法忍耐；而那些正人君子、有头有脸的人物对我的恶行也是目瞪口呆，嫌弃有加。抛弃掉的世界回不去了，而民众却只能给我一个充满厌恶、虚情假意的旁听席。

也许无论任何世道，像我这种生活能力薄弱、又没有什么思想、满身缺陷的小草，只能是自生自灭的命运。不过，我也有我的道理，那就是我明白了实在活不下去的理由。

这难道就是“思想”吗？我感到发明这个奇怪词语的人既不是宗教家，也不是哲学家，更不是艺术家，这是民众这个酒馆里出来的词语。不知不觉中也不知谁先说的，像蛆虫一样滚滚而出，覆盖世界并把世界搞得极不和谐。

这个奇怪的词语和民主、马克思主义风马牛不相及，它必是在酒馆里丑汉子向美男子抛出来的词语。只是一种焦虑，一种嫉妒，根本就不是什么思想。

然而，酒馆里嫉妒的怒吼，却怪异地披上了“思想”的外衣在民众中游走，明明和民主、马克思主义毫不相干，却不知不觉地和其政治思想、经济思想纠缠起来，从而这怒吼便沦为品位极其低下的东西，即使是魔鬼梅菲斯特[1]，对这种信口雌黄偷梁换柱的伎俩，可能也要羞于良心的责备而犹豫再三吧？

人，全都一样——这是一句多么低三下四的话啊！这句话在轻视别人的同时，也轻视自己，没有任何自尊，让人们放弃所有的努力。马克思主义主张劳动者优先，并没有说什么“人全都一样”；民主，主张个人的尊严，也没

1　梅菲斯特：歌德作品《浮士德》中的魔鬼。

有说什么“人全都一样”。只有妓院的皮条客才这样说：“嘿嘿，你再装正经，还不都是两条腿的人吗？”

为什么说“一样”呢？不能说“很优秀”吗？这是奴隶劣根性的报复。

不过我认为，这句话也实在太淫秽、太令人恶心了。我觉得人们相互害怕，所有的思想被亵渎，努力被嘲弄，幸福被否定，美貌被玷污，荣誉被取消，所谓“绝世的不安”就是由这句奇怪的话派生出来的。

一方面我认为这是句讨厌的话，另一方面，我自身就在受着这句话的威胁而胆怯、发抖，干什么都缺乏磊落，惴惴不安，不知所措，便越发乞灵于酒和毒品来获取片刻的安宁，生活就这样变得一塌糊涂。

我很懦弱吧？我是一棵有某种重大缺陷的小草吧？那位妓院拉皮条的汉子说不定会反驳我说：你就是再强词夺理，原本也是个浪荡公子、大懒虫、色鬼、只顾自己不管别人的及时行乐者。以前，经他一说我就只有怀着羞怯的心情模棱两可地给予认可，但现在人之将死，我也想理论两句。

姐姐！

请相信我吧！

我虽然纵情声色，但一点都不快乐。也许我患有“快乐功能障碍症”。我只是想摆脱身上“贵族”这个魔影，为此而癫狂，而玩乐，而颓废。

姐姐！

难道我们有罪吗？生为“贵族”难道是我们的罪过吗？只因为生在那个家庭，我们就要永远像犹大的同伙一样惶恐、谢罪，诚惶诚恐地活着。

我应该尽早死掉。但只有一点障碍，那就是母亲的爱。只要一想到这，我就难下死的决心。虽然人既有自由生存的权利，也同时有随时自由死去的权利，但我想在“母亲”有生之年保留着死去的权利，否则，我死也等于要了母亲的命。

现在，我死了，已没人会悲伤到搞坏身体。不，姐姐，我知道你们失去了我会悲伤到何种程度。算了，虚假的感伤大可不必了。我死了你们肯定要痛哭，但你们如果想想我从讨厌的活着状态下解脱出来的快乐，我想你们的悲伤会渐渐消失的。

有的人根本不给我任何实际帮助，只是一脸得意地谴责我的自杀，对我口诛笔伐，说什么应该活到天年。这些人肯定是大伟人，都能满不在乎地劝诱天皇陛下开个水果店。

姐姐！

我还是死了的好。我没有所谓的生活能力。无力与人进行金钱之争。我甚至不会打秋风。和上原先生交往，个人的消费我也向来都是自掏腰包。上原先生非常讨厌这点，说那是贵族狭隘的自尊，但我并非是为了自尊掏钱，而是没勇气，也做不到用上原先生辛苦劳作挣的钱来大吃大喝、玩女人。笼统地归结为我尊重上原先生的工作，那是假话，但其原因我也真的不十分清楚。对吃别人的请，我只是感到一种朦胧的恐惧。尤其人家的钱是靠人家自己的本事挣来的，去吃喝人家我总是感到折磨、纠结，无法忍受。

而光是拿出自家的钱物，既令母亲和您伤心，我自己也毫无快乐可言，搞什么出版业也不过是我为了装门面遮丑，实际上没有一点真心实意。我虽然愚钝，但还是明白即便我真心实意做了，一个连蹭别人酒饭都不敢的男人，无论如何也不可能赚钱。

姐姐！

我们穷了。本来想在有生之年款待别人，但却到了不让别人请客就活不下去的程度。

姐姐！

既然如此，为什么我还必须活着呢？已经不行了，我要死。有一种可以舒舒服服死去的药，我当兵时搞到的。

姐姐很漂亮（我一向以有漂亮的母亲和姐姐而自豪）、贤淑，对姐姐我毫不担心，我也没资格担心。那就像小偷关心受害者的身世，唯有汗颜。我想，姐姐一定会结婚、生子，并依靠丈夫活下去。

姐姐！

我有一个秘密。

我长期秘而不宣，就是在战地我也一门心思地思念她，不知多少次睡梦里见到她，醒来几欲热泪长流。

她的名字我就是烂了嘴巴也不能说。现在我要死了，我就想，是不是最起码告诉姐姐一个人？但我还是不敢说出。

不过，我又强烈地感到不踏实，担心那个秘密不告诉任何人，最终就那样深埋心底而死去的话，我就是火葬了，心底也会剩下一块烧不透的血肉。所以，我想委婉地、含而不露地像讲述幻想小说那样来告诉姐姐您。但我也想到，按说姐姐定会立马察觉出那人是谁。因为与其说是幻想小说，莫如说是用化名的一种蒙混。

姐姐，您是不是明白了？

姐姐应该知道那个人，但恐怕没见过面。那人比姐姐微微年长，单眼皮，吊眼梢；头发没有烫过，总是在脑后梳着结结实实、朴实无华的发髻；服饰贫寒但却并不邋遢，总是穿得很整洁，给人一种清爽干净的感觉。她是一位中年西洋画画家的夫人，那位画家接二连三地发表战后新技法的画而急遽走红，其行为粗暴而颓废，但那位夫人却佯装满不在乎，总是带着温婉的微笑与画家度着时光。

我站起身来说道：

“那么，我告辞了。”

她也同时站起身来，毫无任何戒心地走到我身旁看着我的脸，问：

“为什么？”

她的声音很普通，确实感到不解似的良久注视我的脸。她的眼光里没有任何邪门歪道和虚情假意。我这人有个毛病，就是和女人视线相碰就狼狈不堪地躲闪开目光，但唯独她看我时我不会感到任何羞涩。两人的脸相距一尺左右，她就那样愉快地凝视我的眼睛达六十秒，然后自然地微笑着说：

“不过……

“他马上就会回来的！”

仍然是一本正经的表情。

我猛然想到，所谓诚实，是不是指的就是这种表情？并不是那种修身教科书式的道貌岸然，我觉得她那可爱的态度，就是“诚实”这个词所表现的本来道德。

“我还来拜访呢！”

“是吗？”

自始至终全是极其普通的对话。那是我在一个夏天的下午，到那位西洋画画家公寓去拜访。画家不在，按说本应马上走人，但夫人建议进屋等一等，我便遵从夫人的建议进了屋，看了半小时左右的杂志，但画家根本没有回来的迹象，便站起身来告辞。仅此而已。但我却从此时此刻开始了对那双眼睛的苦恋。

是不是可以叫“高贵”？我可以断言，我母亲另当别论，我周围其他贵族没有一个有那种毫无戒心的“诚实”目光。

其后，又在一个冬日的傍晚，那人的侧影令我怦然心跳。还是在那位西洋画画家的公寓，我不得不陪着画家，腿伸进被炉，从早晨就开喝，胡乱谈论着日本的所谓文人而笑得前仰后合。后来画家睡倒鼾声大作，我也躺下来，朦胧之中感到身上被盖了毛毯，我将眼睛睁开一条缝一看，东京冬天的天空晴朗呈淡蓝色，夫人抱着小女儿若无其事地坐在窗边，她那端庄的侧身像映衬在远方淡蓝色天空的背景下，宛若一帧文艺复兴时代的侧面画像轮廓分明地浮现在那里。她静静眺望着远方，俨如画中人一般。她为我盖上毛毯的好意，没有任何情欲之心，啊！“人性”，这个词只有用在此时才能表达出其本意，那是一种近乎下意识、天经地义的人文关怀。

我闭上眼睛，依恋、思慕令我几近发狂，眼里饱含热泪，我一下子用被子把头蒙了起来。

我之所以到西洋画画家那去玩，开头是因为醉心于画家作品的特异技法以及隐藏在内心的那种狂热的激情。而其后却与此相反，随着交往的深化，对画家那种缺乏教养、胡编乱造和卑鄙无耻渐渐感到扫兴，反而被其夫人心灵之美所吸引，不，应该说是出于对这位清纯爱情对象的依恋和思慕，想见她一面才到画家家里去玩的。

如果说那位西洋画画家的作品多少也带有几分可称作艺术的高雅之气，那么，现在的我甚至觉得，那大概是其夫人美好心灵的反射。

现在，我可以清楚地说了，那位画家是一个酗酒、喜欢玩乐、工于心计的商人。他需要玩乐的钱，就在画布上胡乱涂抹颜料，并搭乘时尚的“顺风车”装模作样地高价出售。他所具有的，只是乡巴佬那种厚脸皮、傻瓜般的自信和狡诈的商才而已。

对别的画家的画、外国人的画，他可能根本就不懂，而且，他自己的画究竟是个什么玩意儿，他可能也不懂吧？他只是因为玩乐需要钱，才不顾一切地往画布上涂抹颜料而已。

更令人吃惊的是，那个画家对自己的那种无行，没有任何羞耻任何恐惧。

有的只是扬扬得意。因为他自己也不懂自己的画，所以根本不可能懂得他人的画，不，对别人的画，他已经是一贬再贬。

就是说，他对自己的颓废生活尽管嘴上也这样那样地抱怨，而实际上，只不过是傻乎乎的乡巴佬进了向往已久的城，偶然获得成功喜出望外，从而忘乎所以到处鬼混而已。

有一次，我说了一句话：

“朋友们都在消极怠工玩乐时，做不到唯独自己用功，有点不好意思和害怕，所以，尽管自己一点都不想玩乐，但也还是想和你们一起玩乐。”

这时画家说：

“咦？你那是不是贵族气质啊？讨厌。我呢，是看见别人玩乐就想，如果自己不玩乐就亏了，所以，才拼命玩乐。”

他的回答虽然若无其事一般，但当时我从心底看不起这个画家。他对放荡不羁没有苦恼，相反，将那种愚蠢的玩乐引以为荣，真是个货真价实的及时行乐主义者。

然而，再多说那位画家的坏话，一者，和姐姐无关；二者，我人之将死反倒产生一种追忆，怀恋与他的长期交往，唯有和他再玩乐一次的冲动，却毫无对他的恨意；再者说他也是个怕寂寞的人，身上也有很多颇为不错的优点。所以，对他我不再说什么了。

我只想告诉姐姐我思慕他的太太而情不知所终，以及我内心的熬煎。因此，姐姐即便知道了，也绝没必要为遂弟弟生前之愿，假惺惺地多管闲事将此事告诉他人。姐姐了解了，悄悄地在心里说一声："啊！原来这样。"就可以了。如果再说说我的奢望的话，那就是姐姐若能进一步深刻理解以前我生命之苦衷，我则感到万分高兴。

还有一次，我梦见我和那位夫人握了手。知道了她从很早就一直喜欢我，梦醒之后，我的手心还留着夫人手指的余温。为此我已经心满意足。并不是害怕道德，而是万分害怕那个近乎半疯，不，几乎可称为全疯的西洋画画家。我心里想，死心吧，想把心火转移到别的方面，就疯狂地和各种女人鬼混，遇上一个算一个，以至于一天夜里就连那位画家都皱起了眉头。我想方设法试图从对夫人的幻梦中解脱出来，想忘却，想对此不在乎。然而，我办不到。归根结底，我性格上就是个只能爱一个女人的那种男人，我可以明言，对于她以外的女性朋友，我从来就没有一次感到过美丽和可爱。

姐姐！

请允许我在临死之前写一次夫人的名字，仅此一次：

"小菅"。

昨天，我带一个根本不喜欢的舞女（此女骨子里有股傻气）来到山庄，但绝不是为了在今早死而来的。虽然心里想迟早最近一定要死，不过昨天之所以带她来山庄，是因为她缠着我要求去旅行，而我也在东京待腻了，就觉得和这个女人在山庄待两三天倒也不坏，固然对姐姐来说多有不便，总之来了再说。结果回来一看，姐姐凑巧要去东京朋友那，这时我就想到：此时不死，更待何时?

我老早就打算死在西片町那个家里，因为我不愿意死在道上或荒野，那样的话，尸体要被一些看热闹的人弄来弄去。但是，西片町那个家转让给了人家，现在除了死在山庄别无他路，不过又想到我的自杀将被姐姐第一个发现，那时姐姐将会何等惊恐，就对只有你我姐弟二人时我在家里自杀感到心情沉重，无论如何也办不到了。

而现在，啊！真是天赐良机，姐姐不在，而相当迟钝的舞女就会成为我自杀的报案人。

昨夜，两个人饮了酒，我把女人安排在二楼睡，独自在妈妈去世时住的客厅铺上了被子，就这样开始着手写这悲伤的遗书。

姐姐：

我已经没有了希望的支撑，再见！

最后，我的死是自然死，因为仅仅由于思想的缘故是死不了人的。

还有一个小小的不情之请。有一件麻布衣服是妈妈遗物，那是姐姐给我改制准备让我明年夏天穿的，请把那件衣服放进我的灵柩，我曾经想穿。

天开始亮了。长时间让您操心啦！

再见！

昨夜的酒醉已完全醒了，我将素面朝天地奔向黄泉路。

再道一声再见！

姐姐。

我是贵族。

八

梦。

人，都离我而去了。

处理完直治的后事，我独自在冬日的山庄住了一个月。

我就这样以寡淡如水的心情给那个人写信，这可能是最后一封。

您好像也把我抛弃了。不，似乎是渐渐淡忘。

然而，我很幸福。如我所愿，似乎怀上了孩子。虽然我感到现在失去了一切，但腹中的小生命是我孤寂中微笑的源头。

我无论如何也不认为自己干了一件肮脏的蠢事。最近我也明白了为什么这个世上有战争、和平、贸易、工会、政治等等，您恐怕还不了解吧？所以，不幸才永远缠绕着您。我来告诉您吧，那是为了让女人生出好孩子。

我压根就没指望您具有人格和责任之类。重要的是我那一门心思的恋爱冒险的成败。而现在我如愿以偿，我的心已经像森林里的沼泽之水淡定从容。

我认为我赢了。玛利亚即便生下的孩子不是丈夫的，如果她有显赫的自豪之处，那么他们就是圣母子。

我满不在乎地视旧道德为无物，我为得到了好孩子而心满意足。

那以后您还是在哼着“格洛亲、格洛亲”，同绅士、小姐们饮酒作乐，继续过着颓废的生活吧？我并不劝阻您，因为那是您最后的斗争方式。

把酒戒了、治疗疾病，争取长寿干出大成就——这种明显的客套话我已不想说，比起“干出大成就”，以不要命的精神将所谓堕落生活进行到底，或许反而更会受到后世人感谢。

牺牲者，道德过渡期的牺牲者——您和我肯定都同属此类。

革命，究竟在何处进行呢？至少在我们身边，旧道德依然故我，没有丝毫改变地阻挡着我们的去路。大海即便表面波涛汹涌，海底的水也纹丝不动地躺在那里佯装睡熟，哪里谈得到革命？

不过，我以为在斗争的第一回合，尽管成效不大，但我得以摈弃了旧道德。我准备和将要出生的孩子一起进行第二回合、第三回合的斗争。

生养自己所爱的人的孩子，就是我道德革命的完成。

看来，您就是把我遗忘，就是喝酒把命喝掉，我也能为了我革命的完成而健康地活下去。

虽然不久前有人向我历数了您人格低下的种种事例，不过，给了我力量的是您，给我心中构筑了彩虹的是您，给了我生活目标的，还是您。

我以您为自豪，我想让孩子也以您为自豪。

私生子及其母亲。

但是，我们准备和旧道德斗争到底，像太阳一样地活下去。

请您也继续您的斗争吧！

革命，还丝毫也没有进行。似乎还需要更多更多高贵而令人惋惜的牺牲者。

在现在这个世道，最美的就是牺牲者。

还有一个小小的牺牲者。

上原先生。

我虽然对您已经毫无所求，但为了那个小小的牺牲者，有一事望得到您的首肯。

那就是哪怕一次也好，请您的夫人抱一抱我的孩子。并且，那时请允许我说一句：

“这是直治和某个女人私下生的孩子。”

为什么要这样做？仅此一点我不能言明。不，就连我自己也不清楚为什么要这样做。为了直治这个小小牺牲者，我一定要这样做。

您不高兴了？就是不高兴也请忍耐一下！务请您接受，就当一个被遗忘、被抛弃的女人绝无仅有的一次小小的恶搞。

M·C，my comedian[1]

昭和二十二年二月七日

1　此处原文为日语外来语“マイコメディアン”（my comedian），意为“我的喜剧演员”。

译后记："永恒的'少年'"——太宰治

清代史学家赵翼（1727—1814）的《题遗山诗》有云："国家不幸诗家幸，赋到沧桑句便工。"该诗句揭示了几千年历史上经常出现的一种现象：巨大的社会灾难往往催生出优秀的文学家和卓越的诗人。1945年9月的日本，一朝脱离了军国主义淫威的控制，一切权威通通不可信了，人们的思想信仰成了真空，处于茫然彷徨之中。在这时，"无赖派"文学率先登场，他们打着藐视权威、自由主义、人道主义的旗号，玩世不恭，沉湎酒色，否定一切。"无赖派"，是日本近代文学史上不容忽视的特殊流派，其特点有二：一是对军国主义统治不满，鼓吹怀疑、破坏、逆反的道德观、价值观，在战后的混沌与颓废中彷徨，试图在沉沦中发现美；二是其作品都有很强的艺术性，故而拥有大量青年读者。日本作家太宰治，就是这一流派的领军人物。不可否认，"无赖派"文学对人们心中军国主义神话的崩溃起到不小的催化作用。对现存秩序的怀疑和不满固然是人类历史进步的动力，然而怀疑者自身也是那个时代的参与者；因此，他们否定的也包括自我，结果往往造成对前途和未来的迷茫。如果把握不好这种迷茫，他们就会要么试图去追求并不存在的世外桃源，要么就在沉沦中绝望乃至自我毁灭。太宰治就是后者的典型例子。

被称为“无赖派的旗手”的太宰治是一位在日本近代文学史和世界文学史上颇具影响力的作家，也是该派中影响力最大的作家，同时又是最彻底实行无赖派精神的作家。虽然都叫“无赖派”，但因其世界观、题材、写作风格、语言运用等的不同而有种种差别，大致可分为两种类型：一种是其作品内容和作家的实际生活关系不大，作品内容固然消极，但作家本人并没有走向毁灭。石川淳（1899—1987）、伊藤整（1905—1969）就是这种类型，特别是石川淳，题材广泛，文笔华丽，是个形成了自己风格的多产作家，他身上的自我意识和严肃的批判精神是其他“无赖派”作家所没有的，为后来的安部公房（1924—1993）、三岛由纪夫（1925—1970）、大江健三郎（1935—　）等新锐作家起了先驱作用。另一种可谓真正的“无赖派”，他们的作品和他们的实际生活不仅一致，而且双方的堕落同步联动，最后本人走向毁灭。太宰治、坂口安吾（1906—1955）、织田作之助（1913—1947）、田中英光（1913—1949）等属于这一类型。

众所周知，日本作家自杀事件多有发生，而太宰治对自杀的执着尤为著名，他曾五次自杀。1927年芥川龙之介（1892—1927）自杀，十八岁的他受到强烈冲击。此时他结识了艺伎小山初代。1930年他考入东京帝国大学法文专业来到东京，认识了作家井伏鳟二（1898—1993），并开始参加日本共产党的地下活动。其间他出于出身剥削阶级的罪恶感曾服毒自杀未遂，这是第一次。同年艺伎小山随后也赶到东京来找他，是他的长兄来京以“分家”为条件承认二人结婚，才将小山带回青森的。十天后就发生了太宰和萍水相逢的吧女田部西妹子在江之岛投海自杀的事件。结果女方死了，他自己却被救活，以“协助自杀罪”缓期起诉，这是第二次。由此他产生了对女方深深的负罪心理，他感到绝望而脱离了左翼运动并陷入颓废的泥潭。1935年因一贯缺课，连一位老师的名字都叫不出，太宰知道了自己没希望毕业，同时就职报社失败，加之再次与芥川奖擦肩而过，心灰意冷的他跑到镰仓山上自缢没有成功，这是第三次。1937年他因毒品中毒住院期间，小山红杏出墙，他和小山试图同归于尽却双双被救活，这是第四次。这一年，他写了《二十世纪旗手》《HUMAN LOST》等，这实际上就是他“人间失格（失去人格）”的宣言。最后一次是1948年6月13日，他和一个叫山崎富荣的女人在玉川上游投水而死，死时年仅三十八岁。

太宰一生中倒也有一段明快的时光。1938年（即第四次自杀被救之后），二十九岁的太宰决心洗心革面。他拜井伏鳟二为师，登富士山来调整心态；在老师夫妇的关照下和石原美知子结婚，并在甲府安了家。生活和心态的稳定，使他迸发出一股健康向上的创作欲，连续写出《富岳百景》《女生徒》《奔跑吧，梅勒斯》《正义与微笑》等充满正能量的佳作，一时间声名鹊起；1944年，太宰发表了乡土气息浓郁的纪行文学《津轻》。然而，混沌的战后社会和对人的惧怕与不信任，使太宰的绝望死灰复燃且越演越烈。他连篇累牍地写出了颓废没落的作品《维荣之妻》《斜阳》《樱桃》《人间失格》。其中的《斜阳》震动全国，当时甚至出现了流行语"斜阳族"；而《人间失格》则是太宰的收山之作，充满着一个社会边缘人发自心底的对爱的诉求。评论家奥野健男（1926—1997）说："即使太宰的所有作品全部消失，唯独《人间失格》作为他超越了文学灵魂的告白仍将会长期被人们反复阅读，持续地给人们感动。"（《太宰治论》，春秋社，1966）

太宰为什么自杀成癖？这除了与他的出身和社会影响有关外，还要考虑日本人国民性中的矛盾性格和生死观。

本名津岛修治的太宰度过了与众不同的幼年和少年时代。他生于日本偏僻的青森县屈指可数的新兴大地主家庭，父亲是贵族院议员。他在十一个孩子中排行老十，在男孩中排行老六（有两个哥哥夭折，有一小弟，实际在男孩中排行老四）。他出生的1909年正是日本明治政府国家主义、扩张主义思想跋扈的时代，社会推崇的出人头地的功利思想和出身偏僻之地、面对兄长的自卑感，以及在家中严重缺乏母爱（他是由姑母带大的，还以为自己是姑母所生），使生性敏感的少年修治从小心灵就受到伤害；他从小就同自卑感苦斗，同时也由于家庭疏于管教在迷茫中走上歧路。太宰的青年时代是在怀疑和挫折中成长的。颓废和绝望几乎贯穿着他的一生。“我曾经想死”，这是他二十八岁时出版的第一本集子首篇文章的第一句话，该集子名为《晚年》;“十岁的民主派，二十岁的共产派，三十岁的纯粹派，四十岁的保守派”的自述显示了他思想上的矛盾以及思想轨迹跳跃之剧烈；1933年，他发表的长篇连载《追忆》，实际上是打算作为遗书写出来的；而1937年的《二十世纪旗手》标题旁竟加了个副题“我生来人世，对不起”。高中时代接触马克思主义、社会主义思想，使他明白了自家富有的剥削本质而深感罪恶；他身上背负着沉重的十字架，有名门望族高品位的东方伦理道德、出人头地的期望同自己放荡沦落的矛盾，有对自己出身的剥削阶级没落的预感和恐惧，有对左翼同志背叛的负疚，有对吧女和其他与他发生瓜葛、被他殃及的女性的负罪感，有对战后社会和人们不可救药的绝望……当其精神力量无法支撑时，就会把离开人世求得解脱作为首要需求。有的神经科教授从病理学角度认为，无赖派文学是时代疯狂在文学上的反映，性格畸变、酒精、毒品中毒，是某些无赖派作家走向毁灭的助推剂。

太宰是用自我毁灭来对社会表达逆反。同芥川龙之介一样，太宰以敏锐的感受性感知并挖掘出社会的弊病以及人的虚伪、自私、妥协、装腔作势等阴暗面。甚至，可以说太宰是以洁白无瑕的儿童和少年的目光来观察社会的。他想忠实地按照自己的诚实信条活下去，结果却成了“人间失格”的边缘人，陷入自闭的境地而不能自拔。他一方面看不起贵族大人先生们的装腔作势，另一方面却为自己的贵族出身而保持一种清高；他明知道自己一步步走上歧路，却用的是“以毒攻毒”的办法来对应社会，可惜自己对毒的抵抗力不强，最后自己反被“毒死”。他的“不抵抗”不具备主张非暴力的甘地（1869—1948）那样大的感召力，也不会像井伏鳟二、石川淳那样“韬晦”，更不能像中国魏晋时代的阮籍（210—263）、嵇康（223—262）等“竹林七贤”那样逃避现实隐居山林耽于诗酒以心理自救（虽然他的《鱼服记》（1937）、《竹青》（1945）里反映了他的这种逃避现实的思想），他是用自己的堕落作为“人体炸弹”，用自我毁灭来碰撞社会，对社会提出自己的控诉并进而炸毁自己，具有振聋发聩之功效。奥野健男还写道：“太宰治搭上生命所追求的，是寻求真实弱者的拯救术，是实现弱者也能生存的理想社会，从而试图在道德上、秩序上用自己的整个生命对妨碍其实现的现实社会进行逆反，而这种逆反，则鼓舞了弱小但真正美丽的人们。太宰提出的问题，对人类来说是个最大的永久课题。”（《太宰治论》，春秋社，1966）

太宰可不可以不自杀而浑浑噩噩地苟活下去？正因为他是

太宰，所以本可以苟活但他做不到。太宰的诚实可爱恰恰表现在这里，他认为多重苦恼的解决，除自杀别无他法，这正表明了他没有失去良知，心中的善恶标准没有消失，他对自己的罪恶不留情面。孔子教导“知耻近乎勇”(《中庸》)，孟子教导“人不可以无耻”(《孟子》)。太宰文学是告白文学、自我否定的文学，他毫不掩饰地向人们披露他失去人格的罪恶感，显示了自身的诚实勇敢，也给了人们借鉴，非一般作家所能及。日本著名评论家龟井胜一郎（1907—1966）说：“太宰君的感受性有一种上升到信仰高度的严峻，不仅用于抨击流俗，还以同样的强劲将利刃指向自身……像太宰君那样聪敏地嘲弄流俗，同时又大胆陈述自己罪恶意识的作家实属罕见。”（河盛好蔵『滅亡の民』,《改造》, 昭和二十三年九月号）

太宰的自杀也反映了日本人国民性的一斑：日本人对樱花的酷爱，很大程度上便是出于这种独特的审美意识。樱花的花期只有短短的一周，而且一般是在开得最绚丽的时候便大量飘落，春风中落英缤纷可谓日本春天的一大美景。在日本人看来，樱花的生命虽短暂但完美，花的凋零作为自然现象的“无”却让日本人感受到无穷的美，即获得精神层面上的“有”。他们从中获得了独特的人生感悟——樱花在最美的时候毫无留恋地缤纷落下，象征着格外凄美的死亡。如同樱花要开就灿烂怒放，要谢就潇洒成为落英一样，某些日本人甚至认为，必要时痛快地抛弃对生的执着、干干脆脆地死是一件很美的事，而且这种美将会是一种永恒。

如上所述，对自杀抱有一种异常宽容的态度是日本文化的一大特色。从负面中发现美的独特思维模式体现在日本民族的生死观上，便是对自杀的崇尚和美化，我们可以用“死亡美学”来简单概括，即是“无”中生“有”、“以死为生”的独特生死观。在他们看来，彻悟的死与完全的生是相通的，自杀本身并不是罪恶，而是一种洁身自好、修身律己的行为。在这方面，不仅太宰治，日本著名作家川端康成（1899—1972）和三岛由纪夫也很具有代表性。他们都认为美和死同属一个有机整体，死是一种美，甚至比生更美，是美的极致。因此，他们都在自己事业的巅峰时选择了以自杀的方式结束自己的一生。要么洁白无瑕，要么彻底破灭，这大约也是“永恒的少年”太宰纯粹的一生所追求的吧。

太宰治的自杀还包含着谢罪的成分。太宰在成长过程中走上歧路，酗酒，嫖妓，吸毒，与一个又一个的女人发生关系。他的家庭要求他立身出世，而他却反其道而行之成为不良少年、堕落青年，因此他怀有违背家庭意愿的罪恶感；同时，他又对自己家庭的剥削本质怀有深深的罪恶感；他认为自己脱离左翼运动就是背叛，他对和自己殉情而死去的女人同样也感到深深的内疚。他自认为已经“失去人格”，无可救药，唯有一死才能赎罪。美国人类学家鲁斯·本尼迪克特（1887—1948）在她的《菊与刀——日本文化的诸模式》一书中说：“自杀如果以适当的方式进行，便可洗刷一个人的污名，保全死后别人对他的好评。”日本传统文化观念认为，不管多坏的人，不管生前做了多少坏事、犯了多少错误，一旦死了，他的罪行和错误就一笔勾销了，他就清白了，而且人死后都会变成神灵。所以一些日本人在做了错事并且造成巨大损失时，往往以死谢罪，以死换取别人的原谅。有些日本人赞扬自杀，使之成为一种光荣的有意义的行为；有些日本人崇尚自杀，在自杀弥留之际，期求体验一种“凄美”的人格升华。

太宰身上存在着诸多矛盾。仅以他对战争的态度来看即可明白。1943年太宰黑白不辨地接受“日本文学报国会”的委托，写了以鲁迅在仙台留学为内容的长篇小说《惜别》，而且在小说中闭口不谈鲁迅对民族危亡的苦闷、日本侵略者给中国人民带来的灾难，却把日本的侵略说成是保护中国的独立。1945年3月，正当日本举国上下一片“鬼畜美英”“一亿玉碎”的叫嚣时，太宰却写出《竹青》这种追求世外桃源的作品，说明他对那场战争已经失去兴趣。然而，1945年9月日本已经投降，受“日本文学报国会”委托写作的作家中，只有太宰一人认真地将写出的《惜别》出版。（参见西川长夫『日本の戦後小説——廃墟の光』，岩波书店，1988年）1945年10月，对社会的极度绝望使他的逆反心理达到极致，以至看到别人从高呼“天皇陛下万岁”变成批判天皇制时，他便认为那是“投机”，他自己要反其道而行之：“自由主义者现在才应该高呼天皇陛下万岁！”（《潘多拉盒子》）尽管他的本意是要批判投机者，但说法也过于离谱。太宰政治上的幼稚、思想上的矛盾，由以上情况可见一斑。

分析一切事物都离不开社会背景。研究无赖派文学、太宰文学的关键，是结合日本特殊的时代背景，历史地看待其作用。唯其如此，读太宰才能深刻地认识社会，学习人生。太宰治的自我毁灭当然主要是由于他自身的原因，但社会原因也不可小觑。假如日本不发动那场愚蠢的战争，会产生玩世不恭、否定权威、怀疑一切的无赖派吗？俗话说物极必反，法西斯主义的登峰造极必然引起反弹，这个反弹便是向一切权威挑战的无赖派。笔者以为，这是历史的力学法则使然。众所周知，1943年以后，旧日本军在各个战场上均呈败色，日本国内对人们思想上的军国主义法西斯教育、统制乃至镇压则变本加厉，最后到了只有皇国而没有个人一切的程度。这恰似一个弹簧，压得越紧，等放手的时候，其反弹力越大。军部的压力太大了，以至于日本宣布投降，一切压制解除后，这弹簧一下子要反弹得超出它原有的长度。无赖派作家坂口安吾所主张的“必须靠彻底堕落来发现自己和拯救自己，依赖政治的拯救方式肤浅而愚蠢”“人要堕落，义士和圣女都要堕落。这是不可能防止的，不可能靠防止它来拯救人类。人活着，堕落。舍此而无拯救人类的捷径”（《堕落论》），当年之所以让青年们趋之若鹜，亦与前述那种特殊的历史背景密不可分。不破不立，无赖派文学在破除军国主义迷信、重新确立自我方面，的确起到了不小的历史作用。从这个角度讲，对坂口的堕落理论也罢，对无赖派的文学作品也罢，采取片面否定的态度显然也是不对的。

不可否认，作为无赖派的“旗手”，太宰不失为一位才华横溢的优秀作家，他对病态社会的批判，对虚伪人类的嘲笑，自我剖析的诚实，对自己罪恶的唾弃，对自由、真实、善良的追求，都是他文学的闪光点，都有其伟大的历史意义。唯其如此，他的作品尽管一直存在争议，读者群却有增无减。在日本近代文学史上，太宰所占地位和篇幅几乎接近夏目漱石（1867—1916）、森鸥外（1862—1922）等文豪，研究太宰文学的学者人数也几乎不亚于研究漱石、鸥外文学的人数。包括日本和我国在内的各国文学界，不仅有大量太宰治作品的原版作品和译本出版发行，而且关于太宰治的作家论、作品论也浩如烟海，各种观点林林总总，五花八门。有的人对太宰以及太宰文学“抱有的厌恶情绪异常强烈”（三岛由纪夫），但也有的人把太宰文学誉为“昭和文学不灭的金字塔”（鸟居邦朗）。特别是在2009年即其诞辰一百周年之际，日本又掀起一股重新认识太宰文学的浪潮，其作品《斜阳》《潘多拉盒子》《人间失格》《维荣之妻》被搬上银幕或荧屏，使太宰文学的研究热上加热。其原因之一就是太宰文学是典型的青春文学，现代青年的心灵秘密——离家出走、恋爱和性、绝望虚无、自杀情死、革命、信仰、友情等最切身问题，在太宰文学里都能找到，使青年读者感到亲切，容易引起共鸣。文学青年们可以在他的作品中学习人生。他的强烈的反俗精神，对自己罪恶的自觉精神值得称道；加之，他将自己的苦闷用调侃的笔法写出，文笔华丽，幽默风趣，更加拉近了和读者的距离。这些正是太宰文学在过去、现在和将来在青年中不失魅力的原因所在。因此，太宰文学热完全可以理解，不是件坏事。然而，我们也必须注意，堕落毕竟不该提倡，自杀毕竟是生命的歧路，太宰治作为文学家委实优秀，但绝非青少年榜样，无论在日本还是在我国，对太宰及其文学过度地溢美、拔高，甚至神化似无必要，学习其反俗精神应该引向正确的方向。毕竟时代不同了，对其中颓废、堕落的呼吁和鼓吹需要保持清醒的头脑。当代青年如试图用堕落来重步太宰后尘，那也是不现实的，最后难免要被时代和社会淘汰出局。

本书选译的长篇小说《斜阳》是太宰的代表作之一。太宰对战后社会变化的流于形式持逆反态度，对人的本质的冥顽不化心灰意冷，认为要进行“人的内心深处的革命”“就需要美丽的灭亡”。小说是以和太宰有关系的太田静子（情人之一）的日记为素材写成的，完成于1947年2月。主人公和子因故离婚回了娘家，相依为命的贵族母女在东京活不下去了，搬迁到偏僻的伊豆的山庄开始落寞的生活。之前染上毒瘾的弟弟直治当兵后杳无音信，最近从南方岛屿回家来了，但仍然离不开毒品，跟着颓废派小说家上原鬼混，仍然过着堕落不堪的生活。“最后的贵族”母亲病逝后，有感于自己罪恶的深重，沉迷于酒精和毒品的弟弟在苦恼中绝望自杀。和子认为上原和弟弟都是旧道德的牺牲品，她决心和旧道德斗争，要生下和上原的私生子，从而完成“道德革命”。文中的这个家庭暗喻经过战后“农地改革”后变穷了的太宰的家庭，登场的四个人物身上都有太宰治的影子，更多的则是直治。值得注意的是，作家在小说中留下了一线光明——和子决心活下去为道德革命而斗争，这反映了写作当时（1947年初）作家的心态，这和《维荣之妻》中女主人公的话（“即使贱为人渣，只要能活着就好啊！”）寓意相同。

然而，九个月后的太宰心态的变化我们可以从本书选译的长篇小说《人间失格》里清晰地看到。该小说由引子、第一手记、第二手记、第三手记、后记五部分组成，三篇手记内容为主人公大庭叶藏的自述。自幼体弱多病的叶藏不理解人类的行为，对人感到不安和恐惧，用“搞笑”来排解对人类的恐惧，并作为向世间最后的求爱。中学时因故意搞笑被同学竹一看破而沮丧，竹一预言他要“招女人迷恋”和“成为伟大的画家”。但此后画塾同学堀木让他认识了烟、酒、妓女和左翼运动，叶藏靠此来排解对人的惧怕。他和吧女殉情而自己被救活，接着沦为女记者和老板娘的情夫，再后来和不懂得怀疑人的清纯少女芳子结了婚，芳子却被无良商人奸污。感到自己的无能和罪过的叶藏服毒自杀未遂，为了戒酒却染上了吗啡毒瘾，从而又和药店老板娘结下丑陋关系。被送进精神病院一段时间后，成一个废人被送回故乡。凭借《斜阳》一跃成为一流作家的太宰，对战后的人和社会的绝望达到极限，《人间失格》是太宰文学的总决算，该作品从1947年3月10日开始执笔，实际上是太宰心理世界的独白。他以必死的精神深挖自己的内心苦恼和纠结，将本质上游离于现世的孤独者对爱的诉求写得淋漓尽致。

要谈本人在翻译过程中的感觉，觉得比以前翻译谷崎润一郎、野上弥生子、坂口安吾、野间宏、武田泰淳、庄野润三等作家的作品，在遣词造句的斟酌上感到吃力。如让笔者归纳太宰作品文字的特点，一是大约因太宰是学法文的，其语言文字不甚规范，受西方语言一定影响，句与句有时连贯性不强，定语过长、句子过长的现象较为普遍，不仅需要在翻译技巧上活用加译、减译、倒译、拆译、分译等手法，而且在译汉后前后文脉的“理气”上也颇费功夫。二是太宰习惯于重复使用某些词语。比如两部作品中都有大量的“寂しい”，固然在原文中该词语表达了作者的意图，但当然不能一律译成“寂寞”了之，需要一一区别对待，仔细斟酌用哪个汉语词语表现才更恰当。老实说有的地方恐怕就是现在，拙译也未必敢说十分准确。对这种译事的甘苦，各种译本的诸位译者可能都有深刻体会吧。三是由于太宰治本人文学、艺术、宗教等方面功底极为深厚、知识面极宽，小说中不仅涉及大量人名、地名、作品名、世界名画等，还出现一些作品中的人物名，而且涉及政经、哲学等经典文献以及史上著名的一些诗、和歌、俳句或歌曲歌词，往往使没有这方面知识储备的读者不得要领，难免影响对作品精神的深刻理解。为帮助读者朋友加深对小说内容的理解，笔者对读者可能不甚明了的和歌、歌词、书名、书的内容以及作家的影射等均做了比较详细、溯本求源的脚注。以上的第三点就算是不同于以往译本的一点特色吧。

最后，在译稿中文的校阅和脚注的处理上，南京大学硕士研究生池源同学牺牲宝贵时间，提出不少有益的意见，认真地做了大量工作，在此也深表谢忱。拙译究竟能否在一定程度上传达出原作的“形”和“神”，还有赖于读者朋友的检验。尽管经过了多次修改加工，但因本人水平所限，谬误仍然在所难免，敬请日语文学界及翻译界前辈、同仁以及诸位读者朋友给予指正。

王述坤